LA NARRATIVA DE ALEJO CARPENTIER: EL CONCEPTO DEL TIEMPO COMO TEMA FUNDAMENTAL

TORRES LIBRARY OF LITERARY STUDIES 22

ESTHER P. MOCEGA-GONZALEZ
NORTHERN ILLINOIS UNIVERSITY
DeKalb, Illinois

LA NARRATIVA DE ALEJO CARPENTIER: EL CONCEPTO DEL TIEMPO COMO TEMA FUNDAMENTAL

(Ensayo de interpretación y análisis)

ELISEO TORRES & SONS
NEW YORK

Library of Congress Catalog Card Number: 74-29084
International Standard Book Number: 0-88303-022-5

ISBN: 84-399-4658-9
Depósito legal: M. 38.151.—1975
Impreso en España
Printed in Spain by Artes Gráficas Benzal, Virtudes, 7, Madrid-3,
for Eliseo Torres & Sons of Eastchester and New York, N. Y. (U. S. A.)

Deseamos dejar una nota de agradecimiento para el ex jefe del Departamento de Lenguas Romances de la Universidad de Chicago, profesor George Haley, que siempre nos alentó en nuestras labores en las aulas universitarias, así como para el ex profesor de esa Universidad, Francisco Ayala, que en todo momento nos orientó con sus sabios consejos. Gracias a todos los que de una manera u otra nos acompañaron en esta tarea.

E. P. M.-G.

Por la colaboración en los gráficos, mi gratitud para Hicka Itkonen y para mi hermana Elsa.

A la memoria de mi padre.

A mi madre.

> El tiempo es un problema para nosotros, un tembloroso y exigente problema, acaso el más vital de la metafísica; la eternidad un juego o una fatigada esperanza.
>
> (Borges, *Historia de la eternidad,* p. 9.)

> Nadie es alguien, un solo hombre inmortal es todos los hombres (...) soy dios, soy héroe, soy filósofo, soy demonio y soy mudo, lo cual es una fatigosa manera de decir que no soy.
>
> (Borges, *El Aleph*, p. 23.)

INTRODUCCION

Al abordar el estudio del mundo novelístico de Alejo Carpentier nos proponemos averiguar de qué manera, en concreto, el escritor ve, siente y desarrolla el fluir del tiempor, que es, dentro de la pluralidad temática de la obra, el asunto que consideramos de más envergadura. A primera vista se advierte que la percepción de la corriente temporal que es peculiar de nuestro autor se encuentra proyectada y desarrollada literariamente en la acción de personajes individuales, como ocurre en sus relatos menores y en *El acoso,* por ejemplo. Pero como si no le bastara la trayectoria de una vida imaginaria para desplegar dicha intuición, vemos que en otras de sus novelas incluye el material narrativo dentro de un marco de tiempo mucho más amplio, y esto mediante diversos recursos, con lo cual la corriente temporal rebasa los límites de la vida individual de sus personajes para transferirla a campos históricos diferentes, introduciendo así en su obra su visión del fluir temporal histórico, tema que le apasiona, magnificando el tiempo de la experiencia personal. De esta manera, puede darnos su concepción del tiempo en la proyección de un gran acontecimiento histórico, como sucede en *El siglo de las luces,* o extenderse hasta siglos muy remotos llegando a la prehistoria, pongamos por caso, e incluso arrastrar al lector hasta la misma eternidad con la paralización del tiempo, según se observa en *Los pasos perdidos.*

Asimismo nos proponemos comparar de manera precisa la fluencia temporal en los diferentes textos del novelista para comprobar si esa proyección se produce siempre en la misma forma o que variedades se observan en su visión de su constante correr. Aun antes de haber penetrado profundamente en su narrativa, resulta evidente que hay en ella una marcada tendencia a la circularidad o a la trayectoria cerrada, es decir, a regresar siempre al comienzo, convirtiendo el principio en fin y viceversa. Este es un aspecto que, sin embargo, no nos parece que haya sido destacado antes por otros estudiosos de su novelística con la energía que merece. Ciertamente que también se descubren dentro de esta temática temporal otras progresiones, tales como el tiempo regresivo y el zigzag temporal, que —conviene aclarar— siempre se combinan con la propensión a la circularidad o a la trayectoria cerrada que nosotros hemos subrayado. Insistiremos en esa inclinación a la circularidad, a ese constante retomar del punto de arranque no sólo desde la coordenada temporal, sino también desde la otra, la espacial, que en conjunción con la anterior sirve para ubicar vida y acción. Coordenadas que se conciertan de modo pleno en la obra carpentieriana.

Sumaremos a este estudio el aspecto de la historia como materia constante de reelaboración estética, pues es un hecho que Carpentier, en su preocupación temporal, está fascinado la mayor parte de las veces por los acontecimientos cardinales del devenir histórico. El propio autor declara que le seducen

> ...los temas históricos por dos razones; porque (...) no existe la modernidad en el sentido que se le otorga, el hombre es a veces el mismo en diferentes edades y situarlo en su pasado puede ser también situarlo en su presente (...) Amo los grandes temas, los grandes movimientos colectivos. Ellos dan la más alta riqueza a los personajes y a la trama [1]

Este fundamento de la novelística del autor ya lo señala Emir Rodríguez Monegal:

> Carpentier parte de la historia o de la crónica para tener una base sobre la que apoyar su decurso imaginativo. Su ficción, tan impregnada de los productos más refinados de la cultura, revela así una dependencia casi total con respecto al hecho histórico [2].

Salvador Bueno, que también se ha preocupado últimamente por este aspecto de la narrativa carpentieriana, pone de relieve que «los elementos históricos están presentes —muy en primera línea— en la obra de Carpentier desde *El reino de este mundo* (1949). Sus narraciones son producto —en buena medida— de una asombrosa investigación histórica» [3]. Más adelante se lee:

---

[1] César Leante, «Confesiones sencillas de un escritor barroco», en *Homenaje a Alejo Carpentier,* ed. Helmy Giacoman (New York: Las Américas Publishing Co., 1970), pp. 29-30. (El libro editado por Helmy Giacoman lo citaremos sucesivamente como *Homenaje.)*

[2] Emir Rodríguez Monegal, *Narradores de esta América,* I (Montevideo: Editorial Alfa, 1969), p. 279.

[3] Salvador Bueno, «Alejo Carpentier y su concepto de la historia», en *Memoria del XIV Congreso de Literatura del Instituto Iberoamericano* (Toronto: Universidad de Toronto, 1970), p. 258.

> ...éste es un aspecto de la creación novelística de Alejo Carpentier que no se ha tenido muy en cuenta a la hora de las interpretaciones críticas. Sin embargo, constituye una de las bases fundamentales de su obra. El narrador cubano posee una interpretación dialéctica de la historia. Cabe observar cómo en sus novelas y relatos breves están presentes las leyes dialécticas: la repetición de los ciclos históricos, la negación de un acontecimiento por el que le sucede, la interrelación de hechos y hombres de distintos períodos históricos; en definitiva, la evolución en espiral de la historia [4].

El quehacer histórico es, pues, el que le sirve al escritor como punto de arranque para desarrollar su temática mayor: el tiempo. Es así como este novelista cubano del siglo XX parece un hombre inmerso en épocas pretéritas, recorriendo su propio presente como un desterrado y añorando, por haberlas vivido en crónicas, museos, bibliotecas y archivos, épocas pretéritas. Es ese pasado histórico, en su dimensión tempo-espacial, el tema que nos proponemos estudiar en este libro.

Como resultado de lo expuesto destacaremos esa peculiar combinación espacio-tiempo que se da en la recreación del acontecer histórico dentro de la obra novelesca de Alejo Carpentier, sistematizándola, en la medida de lo posible, desde este punto de vista. Para esa finalidad analizaremos en el capítulo primero los relatos menores y la novela corta *El acoso* contenidos en su libro *Guerra del tiempo* (1958). Al comenzar con el examen de este texto se hace patente que no hemos de seguir el orden cronológico riguroso de la obra carpentieriana. Nos fundamentamos para ello en el hecho de que nos parece visualizar mejor el desarrollo total de la novelística del autor si, como

---

[4] *Ibíd.*

dijimos, se parte de la proyección de individualidades que nos brinda para observar luego la recreación de acontecimientos de amplias dimensiones. En los relatos cortos nos ofrece Carpentier su visión del hombre dentro del fluir temporal, dándonos, en cada caso, de manera exacta su imagen particular, para lo cual desarrolla su temática desde lapsos vitales individuales que se resuelven siempre con la vuelta al punto inicial. Este ser atemporal se nos presenta a partir de tres concepciones: la del hombre que sólo repite un presente de vidas pretéritas y futuras *(El camino de Santiago)*, la de un eterno repetirse del lapso agónico de la vida del hombre desde la original proyección de una vida que se desenvuelve a la inversa *(Viaje a la semilla)* y la de un barajar de tiempos pretéritos, remotos e inmediatos con el presente, cotejando la figura del soldado de todos los tiempos *(Semejante a la noche)*. En *El acoso*, el novelista, en busca de una nueva manera de novelar, elige como tema una cierta revolución para verterla en moldes estéticos propios —es la segunda de sus novelas de «revolución»—. Desde la mente caleidoscópica del joven acosado vamos conociendo los instantes más dramáticos de su vida y las de otros, en un tiempo progresivo que se aproxima al de la ejecución de la sinfonía *Heroica*. El joven, de cuya mente irradian las vivencias íntimas, no permanece inmóvil, sino que al evocar sus recuerdos se desplaza sobre la coordenada espacial en una secuencia temporal normal. Pudiera considerarse que traza un círculo que, a su vez, queda encerrado en el círculo del texto.

El segundo capítulo estará dedicado a *El reino de este mundo* (1949), primer libro en el que el narrador se lanza a novelar una revolución. Inicia así el grupo de sus novelas que denominaremos de «revolución». La estructura del texto es cíclica. El escritor arranca de su imagen del hombre como esclavo de su semejante. En cada ciclo del devenir histórico el ser atemporal —Ti Noel— ensaya un siempre fallido intento de liberación de las cadenas que el prójimo le impone. Al finalizar, se encuentra colocado en la misma situación inicial. La novela es una presentación mítica de la esclavitud del hombre más fuerte sobre el hombre más débil.

El tercer capítulo abarcará el estudio del texto *Los pasos perdidos* (1953), en el que Carpentier ambiciosamente se propone agotar ambas coordenadas, o sea, espacio y tiempo, en un fluir temporal de siglos que se van restando para concluir en el propio presente. El capítulo cuarto comprenderá nuestra visión de *El siglo de las luces* (1962), obra en la que el escritor vuelve a proyectar su temática temporal dentro del ambiente histórico de una revolución, pero esta vez con un diámetro mayor. El libro parece ser síntesis, culminación y cierre de esta etapa narrativa del novelista. Por fin, expondremos las conclusiones que hayamos podido alcanzar sobre las bases propuestas.

Conviene agregar a lo expuesto que, aunque este estudio gira muy principalmente alrededor del pivote del tiempo en la narrativa de Alejo Carpentier, no nos ha sido posible soslayar otros aspectos de su creación literaria tan seductores como la propia dimensión temporal. Por eso, en cada caso particular hemos tratado de dar una imagen totalizadora del texto, conscientes, sin embargo, de que, como toda elaboración artística, es inagotable.

En el texto aparecen unos gráficos, trazados, por supuesto, sin la menor pretensión de exactitud científica, en la idea de que tal vez puedan servir al lector de alguna ayuda para visualizar los esquemas tempo-espaciales descritos en nuestros análisis de las distintas obras estudiadas. Dichos esquemas nos sirvieron, en nuestro trabajo o investigación, para aclarar las trayectorias seguidas por los personajes y la de los propios aconteceres elaborados literariamente por la fantasía del autor, y pensando que, igualmente, pueden brindar semejante servicio a quienes lean nuestras explicaciones, en relación con las cuales deben ser entendidos.

Ahora bien, antes de entrar en el desarrollo de nuestro estudio propiamente dicho, consideramos de utilidad hacer unas leves indicaciones acerca de la influencia que la vida de Carpentier parece ejercer en su obra. Nos referimos, sobre todo, al que consideramos como su eje: los juegos conceptuales con el tiempo y el espacio, sobre los que está montada toda su acción novelística. Resulta evidente que tanto los saltos temporales como los espaciales, que con tan característica frecuencia se observan en sus relatos, tienen una relación bien estrecha con la experiencia vital del propio autor, quien, por circunstancias biográficas, ha vivido desde su nacimiento en mundos distintos.

Nace Alejo Carpentier en la ciudad de la Habana en 1904. Las particularidades ambientales y ancestrales de su nacimiento son de importancia capital en la formación del hombre. De padres europeos —su padre era francés, su madre rusa educada en Suiza—, Alejo vivió desde la misma cuna en dos mundos: el del hogar y el de la «cálida y bulliciosa» ciudad de su nacimiento [5]. Son precisa-

[5] Véase el artículo de Salvador Bueno, «Alejo Carpentier, novelista antillano y universal», en *La letra como testigo* (Santa Clara, Cuba: Publicaciones de la Universidad Central de Las Villas, 1956). Sobre este aspecto de la vida de Carpentier debe consultarse asimismo el artículo de Klaus Müller-Bergh, «Alejo Carpentier: autor y obra en su época», en *Revista Iberoamericana,* XXXIII, núm. 63 (enero-junio, 1967), p. 9-43. Consideramos que este último contiene el estudio biográfico más completo que se haya escrito sobre nuestro novelista.

mente estos factores, herencia cultural y ambiente, los que harán de él un hombre bilingüe, lo cual estimamos de extraordinaria importancia en su formación espiritual y por consiguiente en su obra.

A esta dualidad de herencia familiar y ambiente social externo local es necesario sumar sus viajes de la infancia, adolescencia y edad adulta. La escisión que se registra ya en los primeros pasos del hombre se ahondó y ensanchó con los tempranos viajes y las largas ausencias del suelo cubano durante las primeras etapas de su vida, es decir, infancia y adolescencia, desembocando en un desarraigo que es, en gran parte, el origen de su visión de la realidad. De ahí que consideremos que de esa escisión espiritual y desarraigo brota, en cierta medida, la obsesión del novelista con el factor tiempo, en otras palabras, su temática mayor tal como la hemos fijado: el tiempo. Carpentier anda siempre preocupado con este problema y con el de la autenticidad sumida en el foso de su adolescencia: «Entre el Yo presente y el Yo que hubiera aspirado a ser algún día se ahondaba en tinieblas el foso de los años perdidos» [6].

Por otra parte, esos desplazamientos espaciales, iniciados en la niñez y repetidos luego de modo incesante, tienen una gran repercusión en su actividad de escritor. De ellos han surgido, como él mismo ha explicado, los asuntos de algunas de sus novelas.

De vuelta a Cuba, en la década de los veinte, destilando los movimientos de vanguardia absorbidos en Europa,

---

Recientemente ha aparecido el libro del mismo autor, *Alejo Carpentier, estudio biográfico crítico* (Long Island City: Las Américas Publishing Co., Inc., 1972).

[6] Alejo Carpentier, *Los pasos perdidos* (9.ª ed.; México: Compañía General de Ediciones, S. A., 1970), p. 27. Citaremos por esta edición con el número de la página entre paréntesis.

escribió su novela afrocubana *Ecue-Yamba-O*[7], en la que el autor pretendió llegar a la esencia de la cultura afrocubana, para cuyo efecto visitó los centrales azucareros y los bembés de los negros, tratando de captar la mística de estos últimos en un intento legítimo de alcanzar lo auténtico de la cultura negroide. Todo en vano. De ello no resultó sino un pintoresquismo que lo excluye de ser considerado uno más entre la generación hispanoamericana de Gallegos, Güiraldes y Rivera.

De su viaje a Haití con el actor francés Louis Jouvet surgió *El reino de este mundo*:

> ...Pierre Mabille se pone en contacto conmigo. Me ofrece un «jeep» y emprendo, con mi esposa Lilia, un viaje por la costa a Ville-sur-Cap, hasta la región del norte, regresando por Mirbelais y el Macizo Central. Estuve en casa de Paulina Bonaparte, en Sans-Souci, en la Citadelle La Ferriere (...) ¿Qué más necesita un novelista para escribir un libro? Empecé a escribir *El reino de este mundo*[8].

En 1945, otro amigo, Carlos Frías, le propuso ir a Venezuela, país que le produce una gran sorpresa por cifrar en sí todo el vasto y maravilloso continente americano; sus caudalosos ríos, sus insalvables montañas, sus dilatadas llanuras y sus interminables y enloquecedoras selvas. Magnífico escenario natural para el escritor. De un viaje en el que remonta el Orinoco, conviviendo por varios días con indios de la región, nació el proyecto de su fascinante novela *Los pasos perdidos*.

---

[7] Nos parece interesante notar que el escritor comenzó a escribir este libro durante sus meses de cárcel en la Habana, en 1927. En 1933, luego de completar su segunda versión, la publicó en Madrid. Véase Bueno, «Alejo Carpentier, novelista antillano y universal», p. 160.

[8] Leante, «Confesiones...», p. 26.

Por último, *El siglo de las luces,* que, según asegura, comenzó a escribir en Caracas, Venezuela, en 1956, y que terminó dos años después en la isla de Barbados, tuvo dos puntos de partida:

> ...el origen de la novela —dice— fue un viaje que hice al golfo de Santa Fe, en la costa de Venezuela, y que se describe ampliamente en el capítulo veintiséis. El lugar me fascinó, pues es uno de los más bellos y singulares de la costa americana, y allí mismo, en la cubierta del barco escribí el capítulo (...) El otro punto de arrancada de la novela fue una escala forzada en Guadalupe durante un viaje a París. Allí supe por primera vez de Víctor Hughes, ese hacedor de la Revolución Francesa en las Antillas, y al llegar a París mi temor era que algún otro escritor lo hubiera utilizado como personaje. Felizmente descubrí que era prácticamente desconocido y le di el rango de protagonista de mi próxima novela [9].

No necesitamos insistir sobre la importancia que el nomadismo del hombre tiene para la obra del autor en su concepción misma, a lo que podríamos añadir el hecho de que en casi todas sus narraciones hay siempre uno o más personajes que se desplazan espacial, temporal o simbólicamente, a lo cual aluden sus títulos. Ello es que

> ...en la obra de Carpentier, la mayoría de los títulos hace mención a un desplazamiento espacial, temporal o espacio-temporal: «pasos» perdidos, «viaje» a la semilla, «camino» a Santiago, «caminaba» semejante a la noche. Casi no hay personaje en su obra que desde la situación de un «aquí-ahora» no esté postulado a un «allá-entonces» [10].

---

[9] *Ibíd.,* p. 28.

[10] Carlos Santander T., «Lo maravilloso en la obra de Alejo Carpentier», en *Homenaje,* p. 115.

Resulta, pues, que a estos factores apuntados —y a otros que no viene al caso señalar, pero de los cuales el escritor tiene lúcida conciencia, al fondo de su historia de hombre, «cubano por nacimiento, esencialmente europeo por educación y profundamente hispanoamericano por inclinación» [11], junto a su gran sensibilidad artística y a sus brillantes dotes intelectuales— se debe su profunda y bien equilibrada obra. Ella será objeto de nuestro estudio en los capítulos que siguen.

[11] Müller-Bergh, «Alejo Carpentier: autor...», p. 9.

CAPÍTULO I

«GUERRA DEL TIEMPO»

En 1944, Alejo Carpentier publica el breve relato *Viaje a la semilla*[1]; en 1956, su novela corta *El acoso*[2]. Dos años más tarde, en 1958, recoge en un libro titulado *Guerra de tiempo*[3] ambas narraciones, a las que añade dos relatos al parecer inéditos, *El camino de Santiago* y *Semejante a la noche*. Consideramos oportuno traer aquí los

---

[1] Este cuento se publicó por primera vez en una *plaquette* que se limitó a cien ejemplares por Ucar García y Cía., La Habana, 1944. La información se tomó de Alexis Márquez Rodríguez, *La obra narrativa de Alejo Carpentier* (Caracas: Ediciones de la Biblioteca de la Universidad Central, 1970), p. 75.

[2] La novela corta *El acoso* se editó, inicialmente, por la Editorial Losada en 1956, en Buenos Aires. A pesar de la fecha de su publicación decidimos incluirla en este capítulo por razones ya expresadas.

[3] Alejo Carpentier, *Guerra del tiempo* (México: Compañía General de Ediciones, S. A., 1958). Usaremos para este capítulo la sexta edición de este libro con el número de la página entre paréntesis. Nos parece interesante añadir que Carpentier tiene otros relatos: *Los fugitivos* (1946), *Los advertidos* (1965) y *El derecho de asilo* (1965). Los dos últimos han sido incorporados a las ediciones francesa, norteamericana y checa de este volumen. La información se ha tomado de Emil Volek, «Dos cuentos de Carpentier: dos caras del mismo método artístico», *Nueva Narrativa Hispanoamericana,* I, núm. 2 (septiembre, 1971), p. 19. Recientemente ha aparecido en español *El derecho de asilo* (Colección Palabra Menor, núm. 3; Barcelona: Ed. Lumen, 1972), que, por esa razón, no se incluye en este estudio.

comentarios de Volek sobre la aparición de estos dos últimos cuentos. Dice:

> ...se opina generalmente que la aparición de ambos cuentos fue aproximadamente simultánea. Pero no es así. En una conversación que sostuvimos con el autor durante nuestra estadía en la Habana en 1966 (...) Carpentier confirmó nuestras dudas y nos comunicó que *Semejante a la noche* procedía del año 1947 y *El camino de Santiago* de 1956. El primero, pues, cabe situarlo antes de *El reino de este mundo* (publicado en 1949) y el segundo después de *El acoso* (publicado en 1956). Los cuentos están separados así por nueve años de fructíferas actividades creadoras, y esta circunstancia se deja sentir en muchos aspectos de su estructura artística [4].

De suerte que ha quedado resuelta la incertidumbre que existía en cuanto a la fecha de concepción de ambos relatos.

VISION PANORAMICA DEL TIEMPO EN LOS RELATOS CORTOS Y EN LA NOVELA «EL ACOSO»

Como ya establece el título del libro, el problema principal que se plantea el narrador en los relatos breves y en la novela corta que recoge es el tiempo. Carpentier hace que el hombre, en las diversas individualidades que plantea, libre dramáticas batallas al objeto de superar el tiempo cronológico. De ese modo, en un esfuerzo por lograr lo que se propone, lo hace cíclico: el hombre recorre siempre la misma trayectoria que se inicia y termina en el mismo punto. Detiene las manecillas del reloj, luego las echa a andar en sentido inverso al fluir normal de las

[4] Volek, «Dos cuentos...», p. 7.

horas para al final devolvernos al principio. Lo rompe haciéndolo estallar en pedazos, juega con ellos como un hábil malabarista, mas el principio reaparece al terminar la fábula. Por último, pareciera apresar tiempos regresivos y círculos espaciales en un pentagrama musical. Todo lo ciñe la estructura circular de la obra.

> Carpentier experimenta en estas obras con una idea que parece haberle obsesionado largamente: la de romper los márgenes artificialmente sólidos del tiempo y de integrar el pasado, el presente y el porvenir en una duración, a la vez, estable y voluble, cuyo eje puede ser una persona, un acontecimiento o una vida íntegra[5].

En referencia a este libro, Alexis Márquez Rodríguez señala, no sin cierta justificación, que

> ...es la obra más importante de Carpentier, aun cuando no necesariamente la mejor. En efecto, tanto la novela como los cuentos que en dicho libro se incluyen tratan específicamente sobre *el tiempo,* que en este autor tiene, como se sabe, un especial significado (...) No tenemos ninguna duda de que es en la novela y en los cuentos incluidos en *Guerra del tiempo* donde Carpentier trata dicho asunto con mayor originalidad no sólo dentro del marco de su obra narrativa, sino incluso como aporte personal a la narrativa contemporánea [el subrayado es del autor][6].

Ciertamente, Carpentier, ardido por la idea del tiempo, logra en estos relatos menores y en la novela repetir el tiempo, revertirlo, superarlo y apresarlo, concluyendo en cada caso con una trayectoria temporal cerrada para ob-

[5] Fernando Alegría, «Alejo Carpentier: realismo mágico», en *Homenaje,* p. 65.

[6] Márquez Rodríguez, *La obra narrativa,* p. 75.

tener siempre la imagen del hombre atemporal. De otro modo, como lo expresa el propio escritor a Volek, «la "identidad del hombre consigo mismo a lo largo de la historia y dentro de la misma situación básica"» [7].

«EL CAMINO DE SANTIAGO»

El título por sí mismo nos lleva a épocas pretéritas, acaso a la Edad Media, o, mejor, a los inicios de los tiempos modernos. A la tumba del apostol Santiago, descubierta por un pastor en el siglo IX, sobre la que se levanta hoy la catedral de Santiago de Compostela, solían acudir peregrinos de todas partes de España, Francia y, en general, de Europa entera [8]. Carpentier, para ambientar su fábula, abunda en datos al respecto. Al protagonista, que responde a tres nombres, Juan de Amberes, Juan el Romero y Juan el Indiano, nos lo encontramos en Flandes como tambor de los tercios españoles que, al mando del duque de Alba, allí quemaban y mataban herejes. No es difícil determinar que se trata de la época de Felipe II, a quien, por demás, el escritor se refiere más adelante.

Pues bien, con Juan el Romero recorremos parte del camino de Santiago hasta Burgos, donde caemos en una feria. El autor nos hace espectadores de un delicioso cuadro de costumbres. Es en aquel torbellino de la feria donde «el olor de las carnes en parrilla» y «el vino de los

---

[7] Volek, «Dos cuentos...», p. 11.

[8] Ives Bottineau, *El camino de Santiago* (Barcelona: Editora Aymá, 1965), p. 28. Explica el autor el origen de la leyenda y el asunto relacionado con el encuentro de los restos del Santo que la leyenda sitúa en el siglo IX, pero que ha resultado sólo en «feliz falta, feliz error, feliz leyenda que tuvo consecuencias incalculables en el arte y la cultura».

odres» (p. 31) ablandan el sentimiento religioso del romero. El hombre se ve zarandeado por tipos pintorescos que, en días de feria, aprovechan para vender sus mercancías o servicios. Es allí, precisamente, donde surge ante el peregrino la otra España, la España de los soberbios conquistadores, a través de los romances de ciegos que cantan «la portentosa historia de la Arpía Americana» (p. 32). Envuelto en la voz de estos ciegos que de grupo en grupo cantan romances, Juan se ve tirado en la isla de Jauja, y de uno en otro romance tropieza con un «indiano embustero» que ofrece dos grandes caimanes de paja. La lluvia repentina los hace guarecerse en un mesón y los dos Juanes se encuentran sentados frente a frente. Juan el Indiano, con el vino subido a la cabeza, empieza a soltar embustes.

> Pero Juan, prevenido como cualquiera contra embustes de indianos, piensa ahora que ciertos embustes pasaron a ser verdades. La Arpía Americana, monstruo pavoroso, murió en Constantinopla, rabiando y rugiendo. La tierra de Jauja había sido cabalmente descubierta, con sus estanques de doblones, por un afortunado capitán llamado Longores de Sentlam y de Gorgas. Ni el oro del Perú ni la plata del Potosí eran embustes de indianos. Tampoco las herraduras de oro, clavadas por Gonzalo Pizarro en los cascos de sus caballos. Bastante que lo sabían los contadores de las Flotas del Rey, cuando los galeones regresaban a Sevilla, hinchados de tesoros (pp. 35-36).

El romero, dilatadas las pupilas por las grandezas contadas, tuerce el camino. Ahora va hacia Ciudad Real, luego a Sevilla, donde quedará asentado en los libros de la Casa de Contratación con el nombre de Juan de Amberes. Y mientras Juan espera la salida para las Indias vuelve el narrador a poner al lector frente a otro cuadro de costumbres en aquella ciudad de Sevilla, emporio de riquezas y de tipos humanos por ser puerto obligado de las flotas que iban y venían del Nuevo Mundo durante la época de la conquista y colonización. Así,

> …en el mismo folio de asientos desfilaban, a continuación, un pellejero de la Emperatriz, un mercader genovés llamado Jácome de Castellón, varios chantres, dos polvoristas, el Deán de Santa María del Darién con su paje Francisquillo, un algebrista maestro en pegar huesos rotos, clérigos, bachilleres, tres cristianos nuevos y una Lucía de color de pera cocha (p. 41).

Carpentier continúa con un enorme desfile de personajes pintorescos que por entonces iban a América o venían de allá. Por ejemplo, el chantre de Guatemala con sus «tres criados, de color aceitunado», los indios de la Española, los yucatecos «y otros, de cabeza redonda, bocas belfudas y pelo espeso, cortado como a medida de cuenco, que eran de la Tierra Firme…» (p. 42). El autor, con ese mundo lleno de color, nos mantiene colocados en el siglo XVI, realizando así uno de sus característicos arranques históricos para internarse en el tiempo.

Hasta ahora el novelista nos ha dado las tres Españas: la que mira a Europa con los tercios de Italia y Flandes, la de las ferias en las ciudades con sus típicos cantares de ciegos y los romances de pliegos sueltos; por último, la España que se vuelve a América, con la Sevilla pintoresca y maleante. Pero en el relato advertimos lejanos contactos, mas contactos al fin, con las obras literarias de la España de la época. Por ejemplo, hay más de una coincidencia entre este cuento y *El Licenciado Vidriera,* de Miguel de Cervantes. En efecto, los dos protagonistas responden a tres nombres sucesivamente, que obedecen, en cada caso, a sus desplazamientos tempo-espaciales; los dos configuran la misma trayectoria en cuanto respecta a la España de la vertiente europea: España, Italia, Flandes y España otra vez, luego de haber abandonado ambos las letras para unirse al Ejército. Claro está que las obras que se mencionan difieren en sus propósitos, pero nos parece que vale la pena establecer este vínculo que, bueno es advertirlo, no será el único con este escritor genial en el propio relato.

La narración, pues, no se limita a reflejar la historia de la época, sino que en ella saboreamos en pinceladas magistrales vislumbres de la literatura del siglo. Por ello conviene recordar que es también la España de la novela picaresca, y, ¿quién no evoca al «famoso escudero» del *Lazarillo de Tormes* y a «Pablillos», el famoso protagonista de *El buscón*, de Francisco de Quevedo, cuando se aproxima a párrafos como los siguientes?

> ...Porque estudiante había sido Juan —según contaba al barbado y al judío— en la clase donde se enseñaban las artes del Cuadrivio, con el conocimiento de las cifras para tañer la tecla, el harpa y la vihuela, el modo de hacer diferencias, mudanzas y ensaladas, sin olvidar el conocimiento del canto llano y la práctica del órgano (...) Con el cuadro de aquellos conocimientos había crecido también la condición del fugitivo, *que ahora resultaba ser el hijo de un escudero de los que en aquellos tiempos llevaban su penuria con dignidad, por no deshacerse de una casa solariega, desde cuyo zaguán divisábase —a la distancia de donde queda aquel árbol: y miraban todos para allá— la fachada de la Imperial Universidad de San Ildefonso, cuya vida estudiantil contaba el atambor con detalles, sucedidos y ocurrencias, que cada día tomaban mayores vuelos*. Si alguna vez había sido soldado, lo debía al compromiso de servir al Rey, observando por todos sus antepasados, hasta donde las fechas se

> enredaban con las hazañas de Carlomagno (pp. 59-60) [el subrayado es nuestro].

Muy sutilmente el escritor conjuga en Juan a los dos pícaros protagonistas de las novelas mencionadas anteriormente. Y es Juan el Cimarrón el que proyecta esa imagen.

El poder evocador de la prosa de Carpentier es de maravillas. Con su genial poder creador, el artista nos ha situado de lleno en el escenario del Siglo de Oro. Nos parece interesante destacar la preferencia del escritor por este período español, presente, de una u otra manera, en casi todos sus libros. De modo que con estas pinceladas el relato se convierte en una apretada síntesis de un pasado histórico y literario hacia el que proyecta su temática mayor: *el tiempo*. Es que

> ...el poder alusivo de la pluma de Carpentier es extraordinario. Con pocas palabras evoca el escritor todo el clima de una época. Aunque breves, sus alusiones son múltiples: ora se refieren a las costumbres de las clases dominantes, ora a las ciencias, ora a los mitos y hasta a las obras literarias más famosas de entonces (en el capítulo III hay una rápida alusión a *Los Lusíadas*, de Camoens); ora a los horrores de memoria más vívida como los autos de fe y las bárbaras matanzas de herejes[9].

A Rodríguez-Alcalá se le escapó subrayar las alusiones a los romances de ciegos, los romances de pliegos sueltos y los lejanos entronques con las obras de Cervantes, el *Lazarillo de Tormes* y *El Buscón*, de Quevedo.

Lo que acabamos de referir es el rico panorama del mundo peninsular español; pero el protagonista, al que

[9] Hugo Rodríguez-Alcalá, «Sobre *El camino de Santiago*, de Alejo Carpentier», en *Homenaje*, p. 256.

hemos dejado en Sevilla, se mece entre dos mundos, el de España y el de América, por entonces considerada Tierra de Promisión. En la narración, este último escenario se reduce a la isla de Cuba. El Consejo de Indias prohíbe al personaje central continuar viaje a Tierra Firme.

Con igual maestría, Carpentier nos ofrece la visión de este mundo de la entonces San Cristobal de la Habana, villa de no más de «ocho calles hediondas, llenas de fango en todo tiempo, donde unos cerdos negros, sin pelo, se alborozan la trompa en montones de basura» (p. 46). Allí se vive entre chismes y envidias. El único acontecimiento que esperan los vecinos de la villa es la llegada de las flotas procedentes de Tierra Firme, de paso para España. El propósito que les impacienta en su espera no es otro que el de enviar acusaciones a las autoridades radicadas en la península, porque

> ...el calor que envenena los humores, la humedad que todo lo pudre, los zancudos, las nihuas que ponen huevos bajo las uñas de los pies, el despecho y la codicia de menudos beneficios —que grandes, allí, no los hay— roen las almas (p. 46).

Allí están los oficiales reales, el obispo, el regidor, el veedor, el escribano público, el tesorero, el alcalde, y todos a caza de cada quien. Es el mundo insidioso y enflaquecido de la isla, que el genio artístico del escritor esboza con la misma precisión y brevedad que el mundo peninsular.

A esta ciudad llega Juan de Amberes, que, por no tener ocupación mayor ni menor, vuelve a su oficio de atambor. Su alma sólo se alegra ahora, cuando en el puerto se avista la flota. Entonces Juan, junto a la tripulación marinera, se da a bailar con las negras horras, y con el dinero que gana se va a la taberna del gobernador.

Poco tiempo vive Juan en La Habana. Una noche se le sube el tinto a la cabeza, arremete contra Jácome de Castellón y, dándolo por muerto, huye rumbo al oeste de la isla. Allí, en un palenque, convive en feliz comunidad con un calvinista que ha venido huyendo de la Florida a consecuencia de las matanzas de Menéndez de Avilés, y con un judío, además de negros e indios cimarrones.

Como puede juzgar el lector, la historia sigue presente. Hay alusiones a las persecuciones religiosas y a las cimarronadas, amén de las referencias a los conquistadores, tan frecuentes en la obra carpentieriana. Pero al autor le interesa poner de relieve la diferencia que existía entonces entre el mundo colonial y la metrópoli, puesto que si por un lado esta última gozaba de un nivel cultural, económico y social más elevado que las colonias, no es menos cierto que en estas últimas se respiraba un aire de libertad de que carecía Europa. De ello se asombra Juan, que ahora todo lo contempla desde una nueva perspectiva.

> ...El, que ha visto enterrar mujeres vivas y quemar centenares de luteranos en Flandes, y hasta ayudó a arrimar la leña al brasero y empujar las hembras protestantes a la hoya, considera las cosas de distinta manera, (...) luego de haber padecido la miseria de estos mundos donde el arado es invento nuevo, espiga ignorada la del trigo, portento el caballo, novedad la talabartería, joyas la oliva y la uva, y donde el Santo Oficio, por cierto, mal se cuida de las idolatrías de negros que no llaman a los Santos por sus nombres verdaderos, del ladino que todavía canta areítos, ni de las mentiras de los frailes que llevan las indias a sus chozas para adoctrinarlas de tal suerte que a los nueve meses devuelven el Páter por la boca del Diablo. Que allá, en el Viejo Mundo, se pelee por teologías, iluminaciones y encarnaciones, le parece muy bien. Que mande el Duque de Alba a quemar al barbado, allá donde el hereje pretende

> alzar provincias contra el Rey Felipe, Campeón del Catolicismo, Demonio del Mediodía, es acto de buena política. Pero aquí se está entre cimarrones. Es cimarrón él mismo por la culpa que acarrea... (pp. 54-55).

De suerte que Juan, al evocar el continente europeo, su otro mundo, desde el horizonte del palenque, es capaz de compulsar diferencias. Allá, las persecuciones, las acechanzas por cuestiones religiosas; acá, el mundo donde se desvanecían todos los problemas concernientes a la fe. Y, sin embargo, los dos mundos están unidos no sólo por el protagonista que participa de ellos en igual medida, sino por los viajes que se producen en el relato: un viaje anterior de ida y vuelta, meramente aludido con la presencia del primer indiano en la feria de Burgos, el viaje del protagonista y un tercero que se emprende cuando concluye.

Nos parece interesante indicar que si Carpentier en el mundo de allá no sólo nos ofrece el clima histórico con rasgos de costumbres e instituciones, sino también con referencias a personajes reales de la época, tales como el propio rey Felipe II, que lo es de allá y de acá, el escritor no podía esquivar su mención en suelo americano. Así, al duque de Alba parece corresponder el adelantado de la Florida, Menéndez de Avilés, de quien se dice que ha degollado seiscientos calvinistas. Y como para asegurar el decurso imaginativo de la fábula desde la historia, el propio Juan de Amberes es personaje real porque «en 1557 La Habana no contaba con más músico que un flamenco, Juan de Emberas, que tocaba el tambor cuando había un navío a la vista...» [10].

De modo que tanto en un escenario como en otros

[10] Alejo Carpentier, *La música en Cuba* (México: Fondo de Cultura Económica, 1946), p. 44.

hemos señalado el ambiente histórico. Volvamos, pues, al palenque donde habíamos dejado al protagonista. En aquel confín de la isla, Juan tiene «dos negras para servirle y darle deleite, cuando el cuerpo se lo pide» (p. 55). Por otra parte, allí se vive en tareas diarias inmutables en medio de una naturaleza en la que no se percibe el fluir temporal. Es por ello que el palenque resulta ser *el valle del tiempo detenido,* donde

> ...se va viviendo, en trabajos de encecinar la carne del jabalí o del venado, guardando bajo techo las mazorcas de los indios, *en un tiempo detenido,* de mañana igual a ayer, donde los árboles guardan las hojas todo el año, y las horas se miden por el movimiento de las sombras (p. 56) [el subrayado es nuestro].

Sin embargo, hay tristeza en los extraños del palenque. Hay añoranzas y sueños. «Todos piensan en cosas que poco tuvieron en realidad, aunque las columbraron con apetito adivino» (p. 63). Precisa observar el contraste que ofrece este palenque del *tiempo detenido,* con el «Valle del Tiempo Detenido» de *Los pasos perdidos,* en el que el autor se proyecta desde una perspectiva radicalmente opuesta en temas tales como la felicidad del hombre en contacto con la naturaleza y el de América como tierra de promisión. Debe añadirse que esos temas se recrean también, desde el mismo horizonte de la novela mencionada, en su última obra *El siglo de las luces.*

Por fin, al llegar las lluvias, Juan enferma y aumentan las plagas. La nostalgia cala en lo hondo. Cree que la enfermedad se debe a la promesa incumplida de proseguir su peregrinaje hasta Santiago de Compostela. Después de una pesadilla, en la que el protagonista se ve solo en la ciudad de los peregrinos sin que le permitan la entrada a la Santa Basílica, Juan embarca de vuelta a Europa.

En efecto, en la nave encontramos, junto a Juan, al negro Golomón, que había dirigido la cimarronada, al calvinista y al judío. De pronto, una preocupación asalta a Juan en alta mar. El hombre piensa que el hecho de haber estado en las Indias le desembaraza de su identidad europea para conferirle la de indiano. Al desembarcar será, en rigor, Juan el Indiano. Al llegar a la Gran Canaria, el mundo magnificado y transformado por la distancia y la nostalgia cobra su cruda realidad, porque allí ha plantado el Campeón del Catolicismo el Santo Oficio con las consiguientes persecuciones y muertes.

Nuevamente en España, Juan, ahora el Indiano, incumple la promesa de dirigirse a la ciudad de Santiago de Compostela. Con dos caimanes que ha obtenido en Toledo, un mono en el hombro, un papagayo posado en la mano y un caracol que al soplar hace saltar al negro Golomón de una caja, el personaje central se dispone a decir embustes para encandilar la mente de otros que, como él anteriormente, desviarán su camino para dirigirse a la tierra del mito.

De suerte que otra vez tenemos a este otro Juan el Romero, a quien, por supuesto, le será fácil de convencer de las maravillas de América, luego de unas copas de más. Ello es que no hay dos Juanes. Aquél sentado frente a Juan el Indiano es su *alter ego*. De allí parten los dos hacia Ciudad Real y al llegar a Sevilla se inscriben ambos en la Casa de Contratación con

> ...tal facha de pícaros, que la Virgen de los Mareantes frunce el ceño al verlos arrodillarse ante su altar.
>
> —Dejadlos, Señora —dice Santiago, hijo de Zebedeo y Salomé, pensando en las cien ciudades nuevas que debe a semejantes truhanes—. Dejadlos, que con ir allá me cumplen (p. 76).

Se nos hace necesario señalar que el relato sobre este fondo histórico, geográfico y religioso, descrito con asombrosa fidelidad por Carpentier, nos multiplica las interpretaciones posibles [11]. Entre ellas hay que mencionar la del hombre desarraigado de su tierra que queda colgando, balanceándose en el aire, entre dos mundos.

En uno, el de *acá*, recuerda el de *allá*: las mujeres de Italia y Castilla, «que eso sí eran mujeres», su vida de estudiante, la genealogía que no tuvo, pero que fantaseó y conformó en la distancia. Sin embargo, al regresar a este mundo de *allá*, ya no es el mismo, se siente extraño. Si aquél de *acá* no era su mundo, éste de *allá* tampoco lo es, y si *acá* añora las mujeres castellanas, *allá* añorará a doña Golofa y a doña Mandinga: cuando mira el cielo rogando por el sol, lo castiga la lluvia; cuando aprehende el hedor de carne chamuscada por el fuego y oye los gritos de los emparedados, recuerda y ansía la tierra de la libertad.

Ciertamente que Juan el desarraigado no encontrará la felicidad en ninguno de los dos mundos en que intente plantar sus huellas. La nostalgia del uno le hará padecer en el otro y viceversa. Juan queda suspendido en el vacío: es la representación exacta del hombre sin raíces para el que no se concreta valederamente ninguno de los dos mundos en que ha quedado dividido.

> ...Igualmente (...) tenemos el archiprototipo del Indiano, sólo a medias transplantado a Europa, desarraigado en su propia tierra, interiormente dividido, eternamente desgarrado entre el viejo y el nuevo continente [12].

---

[11] Para otras interpretaciones, véase Volek, «Dos cuentos...», y Rodríguez-Alcalá, «Sobre *El camino de Santiago*...»

[12] Luis Harss, *Los nuestros* (3.ª ed.; Buenos Aires: Editorial Sudamericana, 1969), p. 66.

Pero la función esencial de la fábula es la superación del tiempo con la proyección del hombre como una imagen de otro, sombra de sombras que parece repetir infinitamente los mismos pasos, porque Juan el Romero, luego Juan de Amberes y más tarde Juan el Indiano, vuelve a un final que es, a la vez, un comienzo en cuanto que otro hombre tomará la hebra de su vida para seguir sus huellas en un eterno repetirse de la vida humana. Ahora bien, si se toma en consideración que Juan el Romero no es sino la continuación de otro que marchó de España, y luego de cumplir un desplazamiento espacio-temporal, Nápoles y Flandes, retornó a la península, resulta evidente que al finalizar contamos con dos trayectorias espacio-temporales cerradas, tangenciales en un punto: la de Juan el Estudiante y Juan el Romero y la de Juan de Amberes y Juan el Indiano. Por ello, para nada resultaría descabellado proponer que Carpentier tomó como punto de referencia el relato cervantino antes citado, que constituiría así un primer círculo tempo-espacial, someramente aludido, para pergeñar el segundo en un andar perenne sobre las mismas huellas, en la idea de que el hombre camina por veredas ya trazadas en el pasado, y sólo tomamos el hilo de vidas pretéritas que otros, a su vez, tomarán de nosotros. De hecho, cabría sumar a la proposición anterior que el propio Carpentier como escritor siguió las huellas de Cervantes, de igual forma que su protagonista sigue los pasos en Europa del personaje que el autor de *El Licenciado Vidriera* dejara en Flandes, al objeto de proporcionarnos una dimensión tempo-espacial que otros hombres repetirán en un fluir de vidas perpetuo. Dicho de otro modo:

> ...el hombre camina por surcos, que parecen distintos, que parecen llevar a un espacio situado más allá de su

> propio tiempo y que le vuelve, cuando parecía llegar al final, al punto de partida. Todo tornará a repetirse, todo estará otra vez por hacer, todo vuelve a empezar justamente donde había terminado; continúa la acción que fluye a través de un nuevo hombre que sigue andando, sin embargo, por un viejo sendero sin fin... [13].

De acuerdo con la proyección tempo-espacial, la estructura del cuento es cíclica. El novelista percibe la experiencia vital como una recurrencia continua dentro de un fluir temporal que retorna siempre al punto de partida. Así, en el relato se observan otras corrientes temporales que tienen como principio y fin un punto común. En la banda europea, España, Italia y Flandes, hay dos: la primera corresponde, como en la transparencia, al personaje cervantino aludido; la segunda, al protagonista carpentieriano que sigue sus pasos. En el lado que se vuelve a América hay tres: la primera se supone que pertenece al indiano con quien Juan se encontró en Burgos; la segunda, al propio Juan el Romero convertido en Juan de Amberes; después, Juan el Indiano. Finalmente, la de los dos Juanes —el hombre atemporal—, que como la del primero está sólo sugerida. En estas tres últimas, el punto de partida y de llegada es siempre el mismo: Burgos; si se prefiere, España. De acuerdo con estas integraciones de vidas, Carpentier nos propone a Juan como el hombre que fue, el que es y el que será dadas las repeticiones de esperanzas, fallos, desengaños y nuevas esperanzas peculiares a la vida del hombre.

---

[13] Andrés Sorel, «El mundo novelístico de Alejo Carpentier», en *Homenaje*, p. 85.

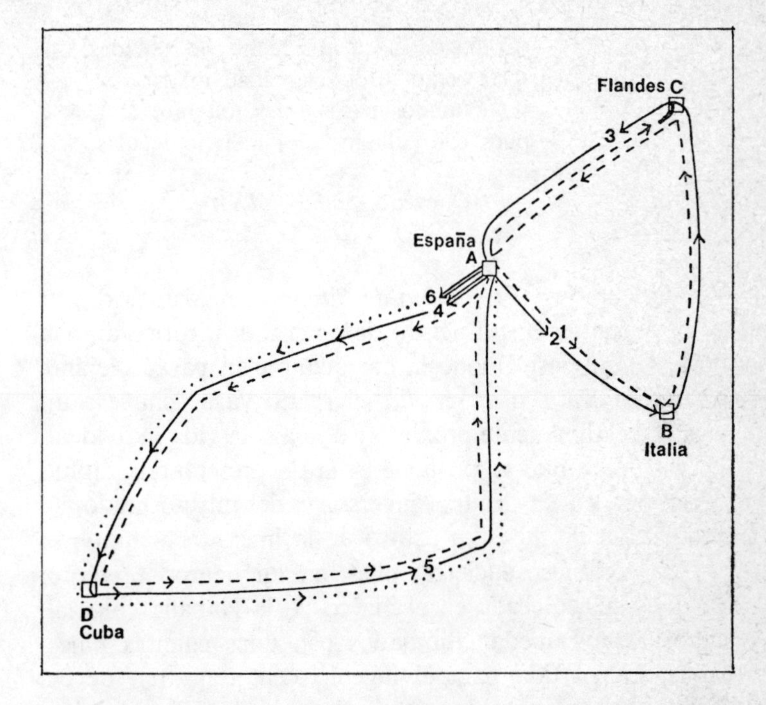

FIGURA 1.—*Ciclos tempo-espaciales del hombre atemporal en* El camino de Santiago. *Aparecen representados dos diseños cerrados. El que corresponde a la banda europea: España, Italia y Flandes, y el que señala hacia América: España y Cuba. En el primero, la línea cortada (1) corresponde a los pasos de Tomás Rodaja, el Licenciado Vidriera, y Tomás Rueda, el personaje cervantino. La línea continua (2) es la trayectoria del personaje carpentieriano Juan el Estudiante. El punto (C) Flandes, indica la confluencia de ambos personajes. El número (3) corresponde a la trayectoria de Juan el Romero. El número (4) indica la trayectoria de Juan de Amberes; el (5), Juan el Indiano; el (6) insinúa la trayectoria infinita de los dos Juanes, el hombre atemporal. Aunque el autor no hace mención de la trayectoria del primer «Indiano» que Juan el Romero encuentra en Burgos, hemos señalado su recorrido con la línea cortada.*

«VIAJE A LA SEMILLA»

¡Cómo de entre mis manos te resbalas!
¡Oh, cómo te deslizas edad mía!
¡Qué mudos pasos traes, oh muerte fría,
pues con callados pies todo lo igualas!

(Quevedo, *Salmo XIX.)*

Así como en *El camino de Santiago* acabamos de ver que Carpentier opera dentro de un plano histórico amplio llevando en cierto modo la narración a un pasado lejano, ahora, en *Viaje a la semilla,* el relato va a ceñirse a un pasado relativamente próximo y a una sola vida individual. El problema que se propone es el de presentar la finitud de la vida en un decurso inverso, y, del mismo modo, su concepción del hombre dentro de la línea del tiempo.

La acción se encierra, pues, en un tiempo pretérito, ya que está colocada en el marco de la Habana colonial, cuyos rasgos quedan dibujados con unas cuantas pinceladas. La partida para el ingenio «en gran tren de calezas —relumbrante de grupas alazanas, bocados de plata y charoles al sol...» (p. 87). «Las danzas y tambores de Nación» que autorizó Marcial para entretenerse allá en el ingenio; el marqués de Capellanías, padre del protagonista, que en noche de bailes solía lucir el pecho «rutilante de condecoraciones»; las relaciones del padre con las esclavas; el baile del capitán general, y el Real Seminario de San Carlos, al que ingresa el joven Marcial. De todo ello, y del propio fondo del relato, brota un raro encanto que al final deviene en dramática agonía.

Pero hay que insistir en que Carpentier no nos cuenta esta vida desde el nacimiento hasta la muerte, sino que, por el contrario, esta vida se «desvive» en sentido inverso al tiempo progresivo normal. Precisa así subrayar que, dado lo difícil que resulta para la recreación literaria dar la imagen del fluir de la vida, el escritor ha tenido que valerse de ciertos recursos que nos van proporcionando el desarrollo a saltos de este lapso vital.

De suerte que en esta vida que se cuenta con las manecillas del reloj moviéndose en sentido contrario, el novelista parte desde la muerte misma, último de los pasos del hombre en el reino de este mundo —en este caso, el primero— hasta el nacimiento, que viene a ser el último. El autor ensaya de nuevo con el tiempo haciéndolo, esta vez, regresivo —tentativa que llevará a cabo de nuevo, en dimensión mayor, en *Los pasos perdidos*—, pero al final concluirá con un círculo temporal, porque volvemos al punto inicial.

Como señalamos, en este «descrecerse» o «desvivirse» del personaje central, el narrador va precisando las etapas más significativas de la vida: nada, muerte, vejez, madurez, juventud, adolescencia, infancia, desnacimiento, simiente y otra vez nada. De hecho, si nos fuere preciso trazar la trayectoria de la vida humana no nos quedaría más remedio que delinear un círculo, porque su final es asimismo su comienzo.

Lo primero que aparece es la demolición de la casa que efectúan unos obreros. Techos, entablamentos, pedazos de cal y yeso, yacían sobre la tierra. El autor se vale de las ruinas para darnos la visión de la nada. «Por primera vez, las habitaciones dormirían sin persianas, abiertas sobre un paisaje de escombros» (p. 78). Pero, como si el cayado del negro viejo que contemplara la demolición tuviera un poder sobrenatural al voltear los escombros con él, las piedras, «las hojas de nogal claveteadas», los tornillos y las tejas volvieron mágicamente a su lugar y «la casa creció, traída nuevamente a sus proporciones habituales, pudorosa y vestida» (p. 80). No se necesita ser muy agudo para darse cuenta que el negro viejo con su cayado es el tiempo y que al voltear con él los escombros está volteando el tiempo, que cobra, a partir de este instante, el fluir inverso. La casa recobra sus dimensiones primeras desde la nada. Es el propio negro viejo el que al introducir «una llave en la cerradura de la puerta principal» (p. 80) nos está franqueando la entrada a este mundo en que los relojes corren al revés. Aparece, pues, la muerte. El marqués de Capellanías yace en su lecho de muerte. Sin embargo, se repite el mismo fenómeno de la reconstrucción de la casa. Los cirios consumidos vuelven a alcanzar las proporciones originales. Una monja se encarga de apagar la última llama que arde en ellos. Entonces «Don Marcial pulsó un teclado invisible y abrió los ojos» (p. 82). El narrador mágicamente ha reconstruido la casa y, del mismo modo, le ha devuelto la vida a Marcial.

Transcurre la enfermedad que lo devuelve a la salud, paso opuesto a la muerte en que debió desembocar, lo que ocurre «cuando el médico movió la cabeza con desconsuelo profesional» (p. 82). Luego de la confesión, que ahora «se hizo reticente, penosa, llena de escondrijos» (p. 82), el enfermo se encontró fuera de la cama. Ese salto que lo sitúa en «medio del aposento» lo coloca temporalmente en la vejez.

Una maraña de legajos judiciales lo envuelven en esta etapa de su vida. Traicionado por su propia firma se ve obligado a «la venta pública de la casa» (p. 83). Cuando bajó al despacho para firmar los papeles era el «amanecer». «El reloj del comedor acababa de dar las seis de la tarde» (p. 84). Es bien palmario que el tiempo de aquel mundo de la casa responde a la regresión temporal del protagonista. El alba se ha trocado en crepúsculo y viceversa. Al día debe corresponder la noche y a la inversa. Recurso este que usa Carpentier para darnos la visión del vértigo de la revolución en el mundo de la casa habanera de *El siglo de las luces*.

El marqués entra en su época de luto y soledad hasta que la marquesa «volvió, una tarde, de su paseo a las orillas del Almendares» (p. 85). Con este «desmorirse» de la marquesa desde el río, el lector tiene la rara sensación de que las aguas corren también hacia atrás.

En ese fluir temporal a la inversa todo se remozaba: las paredes perdían las grietas; las palmas, los anillos; los capiteles «parecieron recién tallados». Se desvanecían las arrugas de los rostros de los marqueses y las carnes recobraban su frescura y dureza. «Más fogoso, Marcial solía pasarse tardes enteras abrazando a la marquesa» (p. 86).

De esta manera saltan a la madurez hasta que entran en la juventud, con la noche de bodas, cuando «al fin la marquesa sopló las lámparas. Sólo él habló en la oscuridad» (p. 87). De vuelta de su luna de miel allá en el ingenio, la marquesa cambió su vestido por un traje de novia y «los esposos fueron a la iglesia para recobrar su libertad» (p. 88). Con este recurso, el escritor los devuelve a los tiempos del noviazgo «hasta el día en que los anillos fueron llevados al taller del orfebre para ser desgrabados» (p. 88). Marcial estaba en la antesala de la juventud en sentido inverso.

Es así que,

> ...una noche, después de mucho beber y marearse con tufos de tabaco frío, dejados por sus amigos, Marcial tuvo la sensación extraña de que los relojes de la casa daban las cinco, luego las cuatro y media, luego las cuatro, las tres y media... (p. 89).

En este desvanecerse, el hombre alcanza la minoría de edad, que se celebró con «un sarao, en el salón de música» (p. 89). Llegaban los días en que el joven quería apurarlo todo. «Alguien dio cuerda al reloj que tocaba la Tirolesa de las Vacas y la Balada de los Lagos de Escocia» (p. 90). Como la firma de Marcial «había dejado de tener un valor legal» (p. 89) fue necesario que «Don Abundio, notario y albacea de la familia» (p. 93), le designara una pensión. Es el instante en que el joven adolescente decide «ingresar en el Real Seminario de San Carlos» (p. 93).

Luego de «exámenes mediocres», Marcial pasó sobre las páginas de los libros, pero, desembarazado de ideas, se complacía «con una exposición escolástica de los sistemas, aceptando por bueno lo que se dijera en cualquier texto» (p. 93). «Su mente se hizo alegre y ligera» (p. 94). No había porque torturarse la mente con problemas de física y geometría. «Una manzana que cae del Arbol sólo es incitación para los dientes» (p. 94). Con este apoyo literario, el narrador coloca al personaje en los umbrales, desde la perspectiva contraria, de la adolescencia, con los días cruciales y los rodeos a las casas que guardaban las mujeres de los perfumes.

Luego de caer por última vez en las «sábanas del infierno», de renunciar «para siempre a sus rodeos por calles poco concurridas, a sus cobardías de última hora que le hacían regresar con rabia a su casa» (p. 95), Marcial caía, por fin, en la «crisis mística, poblada de detentes, corderos pascuales, palomas de porcelana, Vírgenes de Manto azul celeste...» (p. 95). El joven se entregaba a la oración: «Las mechas, en sus pocillos de aceite, daban luz triste a imágenes que recobraban su color primero» (p. 95). Marcial recuperaba su paraíso perdido.

Con el crecimiento de los muebles se acentúa el des-

crecimiento del adolescente. Y «una mañana en q
un libro licencioso, (...) tuvo ganas, súbitamente, de j
con los soldados de plomo que dormían en sus cajas d
madera» (p. 96). Había arribado a la edad infantil. Para desplegar tal infantería cobró «el hábito de sentarse en el enlosado» (p. 97). Así descubrió aquel mundo que estaba por debajo de las rodillas del hombre, desde donde podía dominarlo todo.

En ese desacontecerse llegó el día en que su padre era devuelto a la vida. Unos hombres vestidos de negro traían una caja con agarraderas de bronce. Nos importa indicar que, de hecho, son tres las muertes devueltas a la vida hasta este momento: la de Marcial, el protagonista; la de su mujer, la marquesa, y ahora la del padre del primero, es decir, Marcial.

Para el niño llegaban los días del «Sí, padre» y «No, padre». En el constante descrecerse llegaba el período en que «la vida no tenía encanto fuera de la presencia del calesero Melchor» (p. 100), negro venido de muy lejos, de una tierra donde no había oficios de tinieblas, en que los hombres «vivían de ser más astutos que los animales» (p. 100). Sin embargo, tan súbitamente como Melchor había pasado a ser el centro de gravitación de la vida de Marcial, deja de serlo. Ahora el niño se acerca al mundo de los animales, en este caso, los tantos perros con que contaba el marqués, entre los cuales prefiere a «Canelo». «Ambos comían tierra, se revolcaban al sol, bebían en la fuente de los peces, buscaban sombra y perfume al pie de las albahacas» (p. 103).

Finalmente, Marcial lo olvida todo. Vive en el mundo de las sensaciones: «era un ser totalmente sensible y táctil» (p. 105). Entonces llegó el instante en que cerró los ojos y se perdió «en un cuerpo caliente, húmedo, lleno de tinieblas, que moría. El cuerpo, al sentirlo arrebozado con su propia sustancia, resbaló hacia la vida» (p. 105). Notemos, en primer lugar, que con este deslizamiento hacia la vida son cuatro las muertes que se recobran. Esta última corresponde a la madre del niño. En segundo término, que lo que es fin para el niño es, a la vez, comienzo para la madre. De este modo, Carpentier eslabona vidas en este desintegrarse en un tiempo volteado.

Mas conviene destacar que este momento en que Marcial se pierde en «el cuerpo caliente y húmedo, lleno de tinieblas» coincide con el deshacerse de todo lo que formaba su mundo. Las mantas pierden los hilos, los muebles vuelan al pie de los montes, los pisos vuelven a Italia y en forma semejante todo vuelve a su origen primero: «El barro volvió al barro, dejando un yermo en lugar de la casa» (p. 106). Ello es que el relato que había comenzado con los escombros agoniza en forma semejante, en un desvanecerse de todo, en la *nada*.

Convendría subrayar los recursos de que se vale el escritor para señalar el proceso regresivo de la vida. Los escombros de la casa, como indicamos, le sirven para visualizar la nada. El negro viejo con su cayado nos da los primeros indicios de un voltearse del tiempo. La puerta que se abre nos ofrece el camino hacia esa corriente temporal retrógrada desde la muerte. El teclado mágico le devuelve la vida al personaje central. En forma sucesiva, el salto que lo coloca en medio de la habitación, luego del movimiento negativo de la cabeza del doctor y la confesión, no es sólo un salto espacial, sino también temporal, el hombre se coloca en la vejez. Cuando baja al despacho a firmar los papeles era el amanecer, pero el reloj daba las seis de la tarde. En realidad, es entonces cuando comienza el verdadero desvivirse del hombre dentro de una corriente temporal retrógrada. La vuelta de la marquesa lo sitúa en los años de la madurez y el remozarse de todo lo introduce en la juventud. La iglesia le sirve para que el joven se descase, del mismo modo que la vuelta al joyero para romper el noviazgo. El reloj cuyas manecillas corren en sentido contrario lanzan al hombre en el vértigo de la loca juventud. De nuevo, el escritor se sirve del reloj para llevarlo a una adolescencia que coincide con su vida colegial en el Real Seminario de San Carlos. El recurso de la manzana que «sólo sirve para incitar los dientes» lo lleva a rebasar, al revés, los días críticos de la adolescencia. Con la renuncia al mundo pecaminoso se adentra el joven Marcial en la crisis mística. De aquí en adelante, el cuento adquiere mayor rapidez en el descrecerse del niño. El crecimiento de los muebles, los soldaditos de plomo, el calesero Melchor y los perros del marqués padre son los elementos que usa el autor para marcar los cambios que se van operando en esta vida hasta alcanzar el mundo de las sensaciones y, por último, perderse en el «cuerpo caliente y húmedo». El solar yermo que queda en el lugar de la casa es el remate final, el retorno a la *nada*.

Toda esta trayectoria vital contada en forma regresiva queda encerrada en una noche. En una noche, bueno es aclararlo, en que las horas corren en la misma dirección normal de las manecillas del reloj. Los obreros habían dejado de trabajar a las cinco de la tarde, cuando todavía quedaban en pie una puerta y alguna que otra pared. A la mañana siguiente, cuando regresaron para continuar el proceso de demolición, se toparon con la labor terminada, por lo que acudieron al sindicato a plantear la queja. Importa señalar que el escritor nos desliza aquí, muy sutilmente, una nota de cruel ironía y amargura, porque sabemos que el obrero silencioso de la total demolición es el Tiempo.

En la narración, como se ha dicho, hay varios niveles

temporales: el regresivo, en el que el novelista parece quererle hurtar una vida al tiempo y a la muerte, sin éxito, por supuesto; el tiempo progresivo en que las horas crecen a la derecho del reloj, que es aproximadamente de unas doce horas; el tiempo circular: el cuento finaliza en el propio comienzo, en la *nada*. La cuarta dimensión temporal corresponde a la vida humana que se «desvive», que pudiera calcularse de un lapso normal de unos setenta y cinco años. Virtuosamente, el autor incluye toda la vida del hombre, vivida en un tiempo que fluye a la inversa, en las doce horas normales de una noche. A estos cursos temporales cabría añadir el del propio relato, que contiene los ya apuntados.

Se ha dicho que los modelos espirituales de Carpentier son, entre otros, Martí, Quevedo, Lope de Vega y Goya [14]. Pues bien, he aquí su entronque con Quevedo. El relato, en su fugacidad, la propia de la vida, tiene un profundo sentido filosófico en el que se nota la huella del poeta español del siglo XVII, también obseso, como el novelista cubano del siglo XX, con el problema del tiempo, la fugacidad de la vida y la muerte.

Para el novelista, consciente como el poeta de que cada instante marca el rápido paso hacia un fin ineludible, «las horas que crecen a la derecha de los relojes deben alargarse por la pereza» (p. 107) porque son las que obstinadamente nos llevan a la muerte. Ello es que tanto para Carpentier como para Quevedo, «azadas son la hora y el momento, / que, a jornal de mi pena y mi cuidado, / cavan en mi vivir mi monumento» [15]. Si el poeta junta «pañales y mortaja» porque «antes que sepa andar el pie se

---

[14] Klaus Müller-Bergh, «Notas sobre Alejo Carpentier», *Revista de Occidente*, año V, núm. 48 (1967), p. 378.

[15] Francisco de Quevedo, *Obra poética*, ed. José Manuel Blecua (Madrid: Ed. Castalia, 1969), p. 150.

mueve / camino de la muerte...» [16], el escritor cubano, en su fatiga por burlar el tiempo, aproxima «muerte y simiente».

Es así como para Carpentier la concepción de la vida no difiere de la de Quevedo, en cuanto que es en sí *nada,* y comienza y termina siendo *nada:* «*Nada* que, siendo, es poco, y será *nadá*» [17], verso que curiosamente esquematiza la estructura del relato. Es que, para el novelista, el hombre, ya sea en tiempo regresivo o progresivo, comienza en la *nada* y agoniza en la *nada.* El relato es bien explícito al respecto, dado que esa vida que se «desvive» en él, que es la vida y sólo eso, está encerrada entre dos *nadas:* una, que se anticipa a la vida misma; la otra, que continúa a la muerte. En relación a esa concepción de la vida pudiéramos apuntar la coincidencia con el novelista argentino Eduardo Mallea cuando dice: «Y pensar que a este lapso de agonía entre las dos *nadas* del nacer y el morir se le llama existencia. ¡Existencia!» [18].

Es, pues, este singular relato el que le sirve a Carpentier para proyectar la agonía del hombre desde el de siempre requerido problema del Tiempo, encerrando esa vida en un círculo al que se eslabonarán otros en un eterno proceso de una *nada* que comienza en una *nada* que concluye. La vida de Marcial terminaba en la *nada* que ordena el principio de la vida de la madre, siempre, desde luego, desde una visión de un tiempo que fluye hacia atrás.

La estructura del relato está marcada en tiempo regresivo por las etapas propias de la vida del personaje central, que se desvanece en ese sentido; pero esa fluencia temporal al revés tiende a la circularidad porque el escritor

---

[16] *Ibíd.,* p. 185.

[17] *Ibíd.,* p. 155.

[18] Eduardo Mallea, *Todo verdor perecerá* (2.ª ed.; Buenos Aires: Colección Austral, 1951), p. 139.

hace coincidir fin y principio con las dos *nadas* que abren y cancelan el curso temporal. Al eslabón temporal que conforma esa experiencia vital se encadenan otros que se insinúan desde la muerte, y que en orden cronológico, siempre desde la perspectiva de un tiempo que refluye,

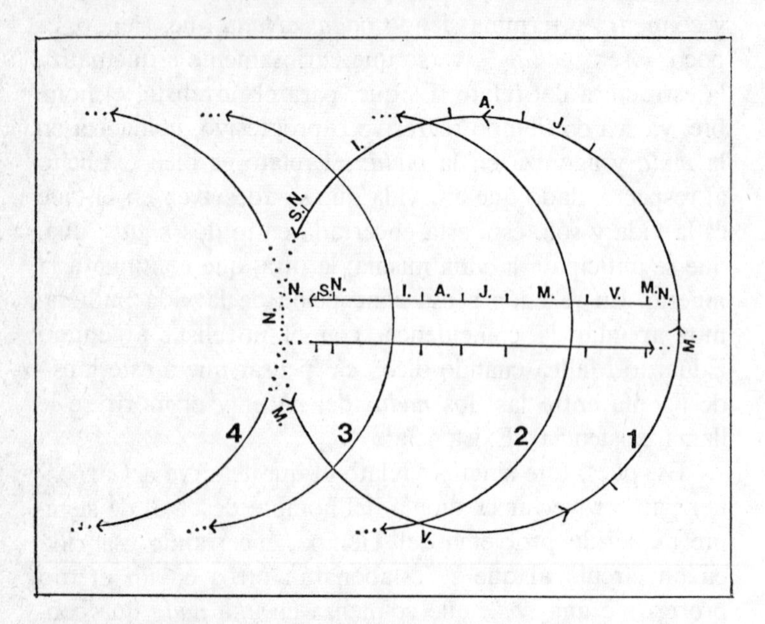

FIGURA 2.—*Esquema de la proyección de la vida en* Viaje a la semilla. *El círculo completo (1) indica el ciclo vital regresivo del protagonista, Marcial. Los círculos que asoman (2-3-4) corresponden a las vidas de la marquesa, esposa del protagonista; su padre, y, por último, su madre, que en el momento que surge a la vida comparte con el hijo una* nada, *señalada por puntos suspensivos. El orden es sucesivo. En el centro indicamos con dos líneas rectas los tiempos lineales regresivos y progresivos. Las iniciales mayúsculas designan: N ada, M uerte, V ejez, M adurez, J uventud, A dolescencia, I nfancia, N acimiento, S imiente y N ada.*

pertenecen a la marquesa, esposa del personaje central; su padre, y, por fin, su madre, que inicia su proceso vital en una *nada* que comparte con la desaparición del hijo.

De esa nada surge, nuevamente, el concepto de la vida humana como un proceso que se repite sin fin, en un encadenamiento de un ciclo vital que agoniza en el principio de otro que le sucede.

SEMEJANTE A LA NOCHE

Es este relato, después de *Los pasos perdidos,* el más rico en acontecimientos históricos en los que se apoya el escritor para abordar la problemática temporal. También esta fábula, como *Viaje a la semilla, El acoso* y *Los pasos perdidos,* ciñe una enorme cifra de años o siglos en un espacio temporal muy breve. En este caso son unos tres mil años aprisionados en sólo veinticuatro horas [19]. Debemos mencionar, además, que asistimos al encuentro del primer relato en que el novelista no sigue una cronología lineal rigurosa, ni progresiva, ni regresiva [20]. Es bien obvia la fragmentación temporal. Carpentier la emprende contra el tiempo, lo rompe en pedazos y luego los maneja a su arbitrio.

Asimismo conviene destacar que parejamente a estos saltos temporales se producen otros espaciales. El narrador presenta a un soldado en diferentes escenarios: primero, la Grecia de la Guerra de Troya, siglo IV a. de J. C.; segundo, la España de la conquista y colonización, siglo XVI; tercero, Francia y sus campañas en el Nuevo Mundo, siglo XVIII; cuarto, la Europa de las Cruzadas, siglo XIII, y quinto, los Estados Unidos durante la segunda

[19] M. Roberto Assardo, «Semejante a la noche o la contemporaneidad del hombre», en *Homenaje,* p. 214.

[20] De acuerdo con lo dicho al comienzo del capítulo, Volek ofrece como fecha de este relato la de 1947. De este modo, resulta ser el segundo de los relatos menores.

guerra mundial, siglo XX. Es así como con el simple enunciado de los escenarios queda establecida la circularidad temporal del relato. Empero, hay que tener en cuenta que los episodios en los que interviene o se apresta a intervenir el soldado son, en realidad, cuatro solamente. El episodio correspondiente a las Cruzadas, siglo XIII, está señalado mediante la técnica del *flash-back*.

Cada uno de estos marcos históricos está ambientado por el narrador con economía y exactitud.

> ...Es precisamente el contexto histórico y geográfico —las referencias a personajes históricos, lugares y hechos conocidos— lo que permtie situar, temporalmente, estos (...) episodios... [21].

El cuento, que el autor divide en cuatro capítulos, nos presenta a un joven aqueo innominado —recurso éste muy usado por el escritor— que se dispone a partir con las huestes de Agamenón el próximo amanecer para ir al rescate de Elena de Troya. Ante la insolencia de Príamo, la mofa que se hace de las viriles costumbres del aqueo, se acrecienta su orgullo. Piensa en la honra que le cabría

> ...de contemplar las murallas de Troya, de obedecer a los jefes insignes, y de dar mi ímpetu y mi fuerza a la obra del rescate de Elena de Esparta —másculo empeño, suprema victoria de una guerra que nos daría, por siempre, prosperidad, dicha y orgullo (pp. 112-113).

El segundo capítulo nos encara a otro soldado en circunstancias semejantes a las del primero. Este soldado, luego de asentarse en los libros de la Casa de Contratación y las consiguientes promesas a la Virgen de los Mareantes,

[21] Roberto Assardo, «Semejante...», p. 212.

se prepara a salir en *La Gallarda* rumbo a las Indias. La atmósfera es la propia de la Sevilla del siglo XVI, pintoresca y maleante. Ya los soldados antes de partir pensaban en las negras horras. Al tropezar unos con otros se saludaban con ruidosos abrazos, aspavientos, risas y alardes. De manera que en este soldado observamos la misma actitud del primero frente al acontecimiento en que va a tomar parte. Se insinúa el orgullo cuando dice:

> ...éramos como hombres de distinta raza, forjados para culminar empresas que nunca conocerían el panadero ni el cardador de ovejas, y tampoco el mercader que andaba pregonando camisas de Holanda, ornadas de caireles de monjas en patios de comadres (p. 114).

Ello es que en el primer soldado surge el orgullo por los insultos y la mofa de Príamo, porque él, en realidad, va a ser partícipe de una empresa de héroes; en el segundo, porque estas empresas de los soberbios conquistadores no eran propias de todos los hombres, sino de ciertos hombres hechos de una sola pieza para empresas de tal envergadura. Pero a la constante del orgullo y la fanfarronería del soldado, que se siente de casta superior, hay que sumar otras: la conciencia nacional y los objetivos de la guerra, felicidad, riqueza y poderío. Estas constantes están presentes en las dos primeras aventuras. Sin embargo, lo curioso de la fábula es que Carpentier en cada nuevo episodio añade una faceta al protagonista hasta conseguir el perfil del soldado atemporal. De ahí que, además de las constantes mencionadas, en este segundo episodio aparezca un nuevo elemento: la madre y sus recomendaciones al hijo para que desista de una empresa no exenta de peligro, pues bien se conocían «las mentiras y jactancias de los indianos, de amazonas y antropófagos, de las tormentas de las Bermudas y de las lanzas enherboladas que dejaban como estatua al que hincaban» (p. 117). A tales argumentos, el hijo oponía los altos propósitos de llevar la fe cristiana a tantos idólatras que ignoraban «el signo de la cruz». El soldado desde su condición de hijo vestía el traje de los apóstoles. Era a la vez soldado del rey y de Dios, porque

> ...por aquellos indios bautizados y encomendados, librados de sus bárbaras supersticiones por nuestra obra, conocería nuestra nación el premio de una grandeza inquebrantable, que nos daría felicidad, riquezas y poderío sobre todos los reinos de la Europa (p. 117).

El resultado es que logra convencer a la madre. Mas al entrar en el tercer capítulo nos encontramos con que Carpentier, de súbito, ha cambiado su técnica. El escritor introduce en el mismo capítulo varias dimensiones temporales. A primera vista el capítulo aparece dividido en dos períodos de tiempo por una ventana y una calle. Esta última, así como la ventana, pertenecen al siglo XIII, al salir de la calle estamos en el siglo XX; pero hay que tener en cuenta que el ámbito de la casa transparenta un tercer período histórico: el siglo XVIII. Es decir, que maravillosamente han brotado tres estampas históricas separadas por centurias que se restan y se suman.

Es de notar el hecho de que el autor inicie en este relato un recurso técnico cuya recurrencia se advierte en sus obras posteriores. Nos referimos a la superposición de varios niveles temporales en un mismo emplazamiento. Este procedimiento artístico culmina en *Los pasos perdidos,* donde el novelista multiplica hasta el máximo las estampas históricas, prehistóricas y ahistóricas en un mismo espacio. Vale la pena señalar también que en sus relatos de tiempo cíclico, el autor no coteja las corrientes temporales cíclicas con las partes, capítulos o secciones del texto. En muchas ocasiones nos encontramos más de un curso cíclico en una parte o capítulo. Por ejemplo, en *El reino de este mundo* la segunda parte aparece dividida en dos ciclos: el de Bouckman, que corresponde a la primera mitad, y el de Paulina Bonaparte y el general Leclerc, que abarca la segunda. Asimismo, en *El siglo de las luces* el novelista repite la técnica, el capítulo quinto queda dividido en dos ciclos temporales: el primero pertenece al «antiguo régimen», el segundo a la «revolución sensual de Sofía».

Hecha esta observación pasemos a la primera parte de ese tercer capítulo, que atiende al soldado que en nombre del rey de Francia va a cumplir una de las más requeridas y heroicas tareas del hombre, la de llevar la civilización a «aquellos inmensos territorios selváticos que se extendían desde el ardiente Golfo de México hasta las regiones de Chicagüa, enseñando nuevas artes a las naciones que en ellos residían» (p. 120).

Es obvio que cada soldado ofrece una nueva arista para completar el soldado arquetipo. Así, este soldado, urgido por la empresa que lo reclama y la larga abstinencia de mujer que prevé, acude a su prometida, quien, al igual que la madre, trata de disuadirlo. La reacción del soldado es muy similar a la que experimentase frente a la última. Recurre a los altos principios que emanan de la empresa. Sin embargo, esta vez, el soldado y el hombre fracasan porque la novia irritada lo enfrenta a lo que ella había leído en los ensayos de Montaigne.

> ...Así se había enterado de la perfidia de los españoles, de cómo, con el caballo y las lombardas, se habían hecho pasar por dioses. Encendida de virginal indignación [dice el joven], mi prometida me señalaba el párrafo en que el bordelés escéptico afirmaba que «nos habíamos

> valido de la ignorancia e inexperiencia de los indios para traerlos a la traición, lujuria, avaricia y crueldades propias de nuestras costumbres» (p. 121).

Evidentemente fallan el soldado y el hombre. Frente al desdén de la mujer, el soldado se siente herido en su orgullo y valentía. Ahora no piensa tanto en la generosidad de la empresa como en la hazaña lograda que acaso le traería brillo a su apellido y le valdría «algún título otorgado por el rey». De modo que a los rasgos anteriores se hace necesario añadir el del hombre que quiere satisfacer su libido violando en el último instante a su prometida sin conseguirlo, lo que trae a flote otros componentes que también entran en el contorno del soldado: la aventura y la gloria.

Esta parte del capítulo termina con la llegada del padre de la novia, que hace saltar al hombre «por una ventana trasera». Acertadamente señala Assardo que «este salto no ocurre sólo en el espacio, sino también en el tiempo. Sin que podamos explicárnoslo retrocedemos al siglo XIII» [22]. Ello es que el soldado, al caer en la calle, oye a alguien que grita. Es un ermitaño que clama por la liberación de los Santos Lugares. El protagonista asume una actitud de indiferencia a lo que se predica, se encoge de hombros y sigue su camino, pero por la técnica del *flash-back* conocemos lo que pasa en ese momento por su mente. Reflexiona:

> ...Tiempo atrás había estado a punto de alistarme en la cruzada predicada por Fulco de Neuilly. En buena hora una fiebre maligna —curada gracias a Dios y a los ungüentos de mi santa madre— me tuvo en cama, tiri-

[22] *Ibíd.*, p. 213.

> tando, el día de la partida: aquella empresa había terminado, como todos saben, en guerra de cristianos contra cristianos (p. 123).

Con la inutilidad de aquella guerra santa devenida en guerra entre hombres de una misma fe, notamos que se van desvaneciendo, simultáneamente, fanfarronería y orgullo.

Se dijo que la calle y la ventana singularmente ofrecen dos planos temporales: siglo XIII, junto a la ventana; siglo XX, al salir de ella. Así es. El soldado, entre enojado y escéptico, se encamina por la misma calle para observar los preparativos de las naves del Gran Desembarco. Este puerto y estas naves están situadas temporalmente en el siglo XX. La guerra, a la que someramente se alude, es la segunda guerra mundial. Luego de asistir al embarque de «trastos informes, mecánicas amenazadoras, envueltos en telas impermeables» (p. 124), ya colocados en cubierta, el soldado siente la angustia de las pocas horas que le quedan en su tierra y, con la misma urgencia del soldado francés, marcha al burdel.

Contrasta, claro está, la actitud de la prostituta con la de la madre y la prometida. Estas últimas intentan desengañar al hijo y al prometido, respectivamente, revelándole los peligros y la falsedad de los propósitos de la empresa. En cambio, la mujer del burdel lo estimula, lo convence, entre fingidas risas y llantos, de lo orgullosa que ella se siente de él, de lo guapo que luce en el uniforme, de que no hay peligros que temer en el Gran Desembarco. Irónicamente, es la prostituta la que le devuelve la heroicidad y la confianza, haciéndole pensar de nuevo con orgullo en aquel gran acontecimiento del que sería protagonista. El soldado, ahora, piensa que

> ...surcaría el Océano tempestuoso de estos meses, arribaría a una orilla lejana bajo el acero y el fuego, para defender los principios de los de mi raza. Por última vez, una espada había sido arrojada sobre los mapas de Occidente. Pero ahora acabaríamos para siempre con la nueva Orden Teutónica, y entraríamos, victoriosos, en el tan esperado futuro del hombre reconciliado con el hombre (pp. 125-126).

Es así como mediante los cinco episodios mencionados, incluyendo, desde luego, el de las Cruzadas, Carpentier nos da el repertorio de rasgos que concretan el prototipo del soldado. Aparecen de manera explícita: el orgullo y la fanfarronería, el sentimiento de conciencia nacional, la generosidad filial frente a la madre, el hombre descreído y egoísta en el fondo ante el menosprecio de la amada, el hombre siempre ardido por el sexo y la aventura y, por último, el ser angustiado por la próxima partida.

El cuento concluye con la vuelta del soldado al marco escénico original: la Grecia antigua, donde se terminan los preparativos para partir a la guerra de Troya. Es en este instante, cuando el soldado baja a las naves, que su orgullo se trueca en una «sensación de hastío, de vacío interior» (p. 130), porque entonces se precipita en la realidad, «habían terminado las horas de alardes, de excesos, de regalos, que preceden las partidas de soldados hacia los campos de batalla» (p. 130). Es bien patente que por su imaginación se deslizan otra serie de factores: el lodo por el que ha de arrastrarse, las órdenes de sus generales, el fuego al que sucumbirán vidas inocentes, acaso, su propia muerte. Es ésta, precisamente, la última nota del acabado perfil del soldado de siempre, desde la guerra de Troya hasta las guerras del siglo XX.

Pero es necesario añadir que el novelista suma a la imagen del soldado la visión, también atemporal, de la guerra. En efecto, el escritor nos anticipa desde el primer episodio que los objetivos de la guerra, de cualquier guerra, son la búsqueda de riqueza, poderío y felicidad. La constante se anubla un tanto con el soldado francés que lleva la civilización a América, pero surge inmediatamente después con las aclaraciones de la novia que ha leído a Montaigne, para desvanecerse de nuevo en el siglo XX con el requerimiento de cumplir la eternamente fallida reconciliación del hombre con el hombre con la destrucción de la Nueva Orden Teutónica. Mas al concluir el relato, Carpentier pone un marcado énfasis en desenmascarar los verdaderos objetivos de la guerra con las palabras del viejo soldado

> ...que iba a la guerra por oficio, sin más entusiasmo que el trasquilador de ovejas que camina hacia el establo, andaba contando ya, a quien quisiera escucharlo, que Elena de Esparta vivía muy gustosa en Troya, y que cuando se refocilaba en el lecho de Paris sus estertores de gozo encendían las mejillas de las vírgenes que moraban en el palacio de Príamo. Se decía que toda la historia del doloroso cautiverio de la hija de Leda, ofendida y humillada por los troyanos, era mera propaganda de guerra, alentada por Agamenón, con el asentimiento de Menelao. En realidad, detrás de la empresa que se escudaba con tan elevados propósitos, había muchos negocios que en nada beneficiarían a los combatientes de poco más o menos. Se trataba sobre todo —afirmaba el viejo soldado— de vender más alfarería, más telas, más vasos con escenas de carreras de carros y de abrirse nuevos caminos hacia las gentes asiáticas, amantes de trueques, acabándose de una vez con la competencia troyana (pp. 130-131).

En suma, el escritor parece decir que los altos principios que animan las guerras se diluyen siempre en la búsqueda de poderío o nuevos mercados. De otro modo, los pretextos varían, pero los verdaderos objetivos se repiten y seguirán repitiéndose siempre.

El relato, pues, obedece al concepto repetitivo de la historia de acuerdo con el novelista. A su pensamiento de que «el hombre es a veces el mismo en diferentes edades y situarlo en su pasado puede ser también situarlo en su presente» [23]. Las variantes entre el soldado de la guerra de Troya y el de la segunda guerra mundial descansan sólo en los adelantos de la técnica y en las diferencias de los pretextos; por lo demás, el hombre soldado atemporal que surge del ingenioso barajar del tiempo es el mismo de siempre.

Finalmente, es curioso observar que en este cuento el protagonista es un soldado que ofrece una dualidad de dimensiones si tomamos en consideración el epígrafe con que el autor encabeza el libro que lo recoge: «¿Qué capitán es este, qué soldado de la guerra del tiempo? Lope de Vega.» De acuerdo con lo cual, el soldado es el que se apresta a salir en cada una de las empresas mencionadas, pero es al mismo tiempo el hombre de siempre que libra una guerra sin tregua contra el tiempo. En este caso, lo corta, lo supera hasta desintegrarlo, logrando de este modo Carpentier la imagen cabal del hombre soldado atemporal.

El tiempo normal en que se proyecta la trama es de veinticuatro horas. Mas hay un tiempo inmedible resultado de la selección que hace el autor de acontecimientos históricos que, para sus fines estéticos y filosóficos, luego baraja. Ahora bien, si ese tiempo fuese susceptible de medirse en la línea recta del acontecer histórico abarcaría unos tres mil años, es decir, desde la guerra de Troya

---

[23] Leante, «Confesiones...», p. 29.

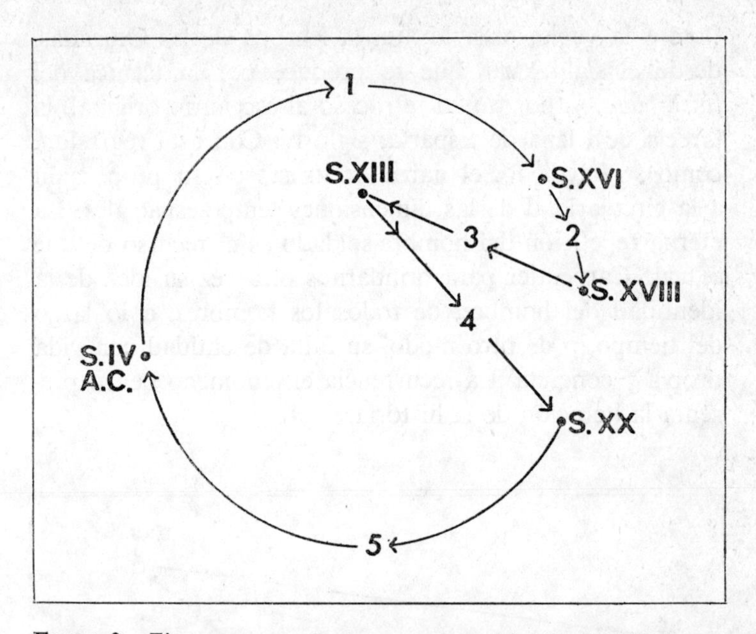

FIGURA 3.—*Tiempos progresivos y regresivos del soldado. En el gráfico indicamos los siguientes tiempos progresivos: (1) del siglo IV a. de J. C. hasta el siglo XVI; (2) del siglo XVI al siglo XVIII, y (4) del siglo XIII al siglo XX. Los tiempos regresivos corresponden a: (3) del siglo XVIII al siglo XIII y (5) del siglo XX al siglo IV a. de J. C.*

hasta la segunda guerra mundial; pero, como el soldado retorna al marco original de la narración, habría que fijar un tiempo regresivo de otros tres mil años, que cierra la trayectoria temporal del relato.

El tiempo que toma la narración envuelve tres progresiones: la primera corresponde al salto del soldado de la guerra de Troya al siglo XVI. La segunda, a su aparición en el marco espacio-temporal de la colonización francesa en el siglo XVIII. La tercera, al salto del joven del siglo XIII, con su fallida intervención en las Cruzadas, a los preparativos del gran desembarco en la segunda guerra mundial, siglo XX. Pero también hay dos regresiones. La que se refiere a la vuelta al siglo XIII, la Europa de las Cruzadas, desde el siglo XVIII, que se produce por la técnica del *flash-back*, y, por fin, el retroceso al escenario original, la Grecia de Elena de Esparta, siglo IV. Con esta regresión, como se ha dicho, el narrador insiste en su propensión a la circularidad de las dimensiones tempo-espaciales. La eterna repetición del hombre-soldado es el recurso de que se vale Carpentier para brindarnos otra vez su idea de la identidad del hombre, de todos los hombres, a lo largo del tiempo, o de otro modo, su falta de entidad con vida propia y concreta. La recurrencia el fenómeno bélico presenta la iteración de la historia.

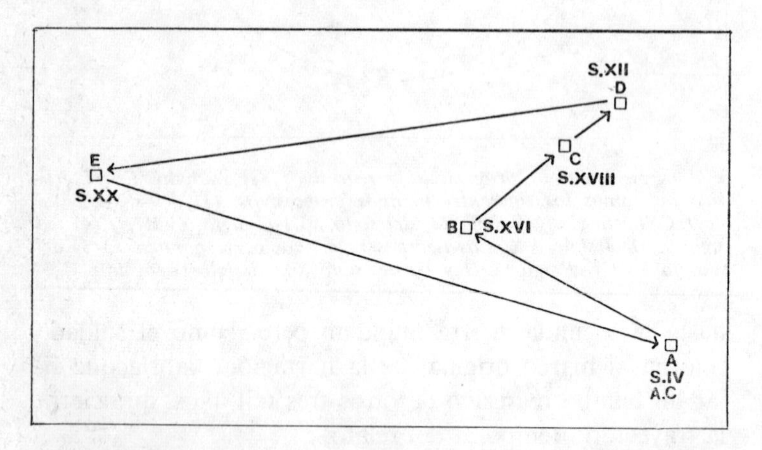

FIGURA 4.—*Desplazamiento espacial del soldado. Este esquema intenta un trazado del desplazamiento espacial del soldado protagonista. Las letras indican los escenarios que, en orden sucesivo, son: (A) Grecia, (B) España, (C) Francia, (D) Europa, en la época de las Cruzadas; (E) un puerto de las costas americanas, y la vuelta al punto (A), la Grecia primitiva.*

EL ACOSO

La fábula de esta novela corta está incluida en un corto lapso de tiempo del siglo XX y enmarcada en un escenaria único, la isla de Cuba, lo cual no es común en Carpentier que nos tiene acostumbrados a desplazamientos espaciales y temporales continuos, limitados en esta obra a una escala muy pequeña. En ello coincide con el cuento *Viaje a la semilla,* que, como se sabe, proyecta su acción en las doce horas de una noche en la ciudad de La Habana. Esto, claro está, no le resta valor, por el contrario, el texto, singularísimo en su estructura, es una combinación de nuevas y viejas técnicas donde concurren historia, música, vida, tiempo, religión y artes plásticas.

Alegría, en su estudio sobre la obra de Carpentier, al referirse a esta novela dice: «No conozco en la literatura americana una demostración tan maestra de virtuosismo técnico como la que ofrece el cubano en esta extraña novela» [24]. Asimismo, Volek, que abunda en juicios sobre la novelística carpentieriana, señala que

> ...no es sólo la historia arrebatante del hombre perseguido, sino también la concepción de la materia (su amplia proyección simbólica, el manejo del tiempo) y la elaboración formal fascinante, lo que convierte a la obra en un acontecimiento artístico de primer orden y al lector en un participante de un ritual mágico y alucinador [25].

---

[24] Alegría, «Alejo Carpentier: realismo mágico», p. 67.

[25] Emil Volek, «Análisis del sistema de estructuras musicales e interpretación de *El acoso,* de Alejo Carpentier», en *Homenaje,* p. 387.

Trasfondo histórico

Los acontecimientos relatados en la obra se refieren al período posterior a la dictadura machadista en Cuba. Su caída se debió de modo decisivo a los grupos estudiantiles que colaboraban, junto a organizaciones secretas, para tal fin. Mas una vez logrado el propósito, es decir, la caída del tirano, se fueron anublando los ideales inspiradores. Las agrupaciones revolucionarias degeneraron en grupos de pistoleros y pseudorrevolucionarios a sueldo, cuyos objetivos inmediatos eran: el de lucrarse con el crimen o llegar al poder. Así

> ...las organizaciones de abnegados estudiantes y jóvenes decididos a destrozar los cimientos de un gobierno nefasto por medio de atentados dinamiteros y a mano armada, poco a poco se metamorfosearon, a partir de la caída del déspota y de los sucesivos gobiernos de fuerza que la siguieron, (...) en vulgares pandillas de bandoleros que aspiraban a vivir del presupuesto [26].

De excepcional importancia para la literatura cubana e hispanoamericana es esta etapa de la historia de Cuba, que se extendió hasta mediados de siglo, pues no sólo novelistas cubanos tejieron sus tramas alrededor de sus acontecimientos, sino que otros, como Rómulo Gallegos —véase su novela *Una brizna de paja en el viento* (1952)—, novelaron esta lucha de grupos armados.

Ello es que una buena parte de ese pasado cubano, conjuntamente con la ciudad de La Habana, está bien presente en el texto. Remembranzas arquitectónicas del antiguo Vedado con sus columnas, cúpulas y metopas que

---

[26] Marcelo Pogolotti, *La República de Cuba al través de sus escritores: El acoso* (La Habana: Editorial Lex, 1958), pp. 123 ss.

forman las fachadas de los antiguos palacetes; la Universidad «en cuya fachada de majestuosas columnas se estampaban con relieves de bronce, bajo un apellido ilustre, los altos elzevirios de un HOC ERAT IN VOTIS...» (p. 185); el patio de las columnas del propio centro, donde se solían representar obras de teatro; la colina del Príncipe, tan próxima a la colina intelectual; el Jardín Botánico, con sus peculiares bellezas; los barrios de Orfila, el Nazareno, Palatino, de triste recordación; el hoy desaparecido monumento al Maine «(... que se alzaba a orillas del mar: el del águila sobre columnas)» (p. 218), como sarcásticamente lo describe el escritor; en fin, calles, paseos, monumentos, y muy especialmente, columnas, «la increíble profusión de columnas, en una ciudad que es emporio de columnas, selva de columnas, columnata infinita, última urbe en tener columnas en tal demasía» [27].

El libro está, por demás, impregnado del terror del período que relata por la carga de tensión dramática que Carpentier sostiene de principio a fin, para lo cual apela a los monólogos interiores del joven estudiante, los flujos de conciencia, el terror al terror, el angustioso e interminable encierro en el Mirador, el hambre, la crisis religiosa, la muerte, la fuga entre las sombras y, finalmente, la caza del hombre.

División y estructura

La novela se divide en tres partes que a su vez se subdividen en capítulos. La primera parte consta de tres capítulos, en los que el novelista presenta los escenarios bá-

[27] Alejo Carpentier, «La ciudad de las columnas», en *Tientos y diferencias* (Montevideo: Ediciones Arca, 1967), p. 61. Recientemente el autor editó un libro con el mismo título del artículo ilustrado con fotos de Paolo Gasparini (Barcelona: Lumen, 1970).

sicos de la trama, los personajes principales, y da comienzo a la acción con la llegada del estudiante a la Sala de Conciertos, más las evocaciones del taquillero. La segunda parte, que es la columna central del libro, abarca trece capítulos, en los que se proyecta la vida del joven perseguido que, al mismo tiempo, refleja la vida de los seres que lo rodean. La tercera parte es una recopilación de las vidas que han intervenido directa o indirectamente en la fábula.

El novelista afirma que el texto tiene estructura de sonata: «Primera parte, exposición, tres temas, diecisiete variaciones y conclusión o coda» [28]. De manera que en un marco de sonata indicado por el propio escritor, en un tiempo progresivo, se desarrolla el hilo de la acción. Ahora bien, dentro de este tiempo progresivo, que corresponde al espacio de tiempo que toma la ejecución de la sinfonía *Heroica*, de Beethoven, hemos notado dos tiempos regresivos y una reflexión. El primer tiempo pertenece al acosado. El novelista recurre aquí al *flash-back*, movido por motivos exteriores que despiertan recuerdos en un monólogo constante que pudiera enmarcarse entre los dos presentes que se ajustan a los dos flujos de conciencia, instantes climáticos del joven estudiante. El segundo tiempo regresivo corresponderá al taquillero de la sala de conciertos, quien mediante evocaciones vuelve a la aldea y se retrotrae a la infancia. Cabe la posibilidad de admitir la reflexión de Estrella, engastada en el monólogo del joven acosado, como un tercer tiempo regresivo. Importa destacar, sin embargo, que Estrella, la prostituta, tiene su significación dentro de la acción novelesca: es el centro al que atrae, a pesar de sus buenos propósitos, a los dos personajes, el estudiante de altos ideales, y el joven mú-

[28] Leante, «Confesiones...», pp. 26-27.

sico que intenta imitar a Beethoven. A ella acuden y de ella parten para un destino final: la declinación y muerte de uno; la absoluta irresolución y fracaso del otro. De otro modo, Estrella es el símbolo de la irremediable caída del hombre, cuya voluntad dirigida a altos propósitos se doblega, a veces, ante las exigencias del medio.

De suerte que, en un espacio de tiempo que se anticipa y prosigue a la ejecución de la *Heroica* quedan encerradas dos vidas, y muchas otras que se proyectan en el trasfondo.

> ...¡La sorpresa será mayúscula! Carpentier narra la historia en un monólogo interior continuado de los dos personajes centrales: el terrorista perseguido y el boletero de la Sala de Conciertos. Desde adentro de ellos va surgiendo la tela de araña en que se mueven los asesinos, la vieja negra del Mirador, Estrella la prostituta, los revolucionarios, los espías. Un mundo de portentosa intensidad dramática emana del condenado a muerte, le sale como sangre, un hilillo primero, una mancha, y el desborde postrero [29].

Al efecto de la estructura de la obra, conviene puntualizar que la acción comienza casi en el final. En realidad, cuando la novela se abre todo lo que en ella se narra ha ocurrido ya. Cuando llegamos a las últimas páginas del libro tenemos que volver al comienzo, lo que, obviamente, concreta la estructura circular del texto.

Escenarios básicos de la trama y su punto inicial

La trama comienza en el vestíbulo de una sala de conciertos, donde un taquillero distrae su hastío entre ojeadas al libreto que contiene la biografía de Beethoven —el

---

[29] Alegría, «Alejo Carpentier: realismo mágico», p. 68.

joven boletero se había estado preparando desde hacía dos semanas para escuchar la audición— y la observación de las damas, con sus vestidos y pieles elegantes, en un ajetreo de coquetería constante. Otras veces, su mirada irá más allá del espectáculo femenino del vestíbulo hasta descansar en el parque de las columnas, y aún más lejos, hasta la casona del Mirador, antiguo palacete flanqueado ahora por el edificio moderno donde él vivía. De modo que al llegar a la página tercera el escritor nos ha dado ya los puntos focales de la trama: la sala de conciertos; que es también la sala de la muerte; el Mirador, último refugio del joven perseguido, situado en una magnífica estructura colonial, luego convertida en casa de vecindad, y el edificio moderno donde tiene su apartamento el boletero de la Sala de Conciertos, por demás aficionado a la música. Es desde este apartamento desde donde le llegan, al joven refugiado en el Mirador, las notas de la *Heroica,* presagio fatídico de su muerte.

Hemos propuesto el Mirador y la Sala de Conciertos como los escenarios básicos de la novela, porque ellos constituyen los dos puntos de partida y las dos metas de los dos personajes principales. Sus desplazamientos espaciales parecieran contornar dos círculos, coincidiendo con la espléndida simetría estructural de la obra.

En el instante en que está para cerrarse la última puerta porque la sinfonía va a empezar, llega un hombre «de ropas muy arrugadas, sin embargo: como de gente que piensa; un intelectual, un compositor, tal vez» (p. 43), tira un billete que excede el precio de la localidad más cara y como los talonarios estuviesen bajo llave, entra en la Sala de Conciertos perdiéndose entre los espectadores y las sombras. Inmediatamente detrás de él entran dos hombres que lo persiguen.

Estudio del tiempo regresivo del taquillero

Se ha dicho que la vida de los personajes centrales de la novela y los acontecimientos de mayor significación en sus mundos respectivos se cuentan en tiempo regresivo mediante monólogos interiores y evocaciones. Vayamos, pues, al tiempo regresivo del boletero, aprisionado en la primera parte del texto, y cuya recopilación se ofrece en la conclusión.

Resulta interesante notar que los dos personajes se proyectan al pasado desde el mismo motivo exterior: la mujer del zorro. En efecto, la mujer del zorro es la que se aproxima a la reja de la taquilla, donde está sentado aquel boletero que parece un mono, para «desceñirse de la molestia de una prenda muy íntima» (p. 138). La lluvia, que tenía a los espectadores inmóviles en el vestíbulo, la frase impúdica dejada caer al desgaire, pero siempre provocada por la misma mujer, y el desceñirse de la prenda íntima, allí, junto a la taquilla, obviamente enervan al taquillero, a quien, el billete, arrojado por el joven de las ropas ajadas, lo incitaba a la aventura. De ahí que se desentienda por completo del Mirador, donde le pareció percibir un movimiento extraño, así como del libro biográfico. El billete, caído por azar en sus manos, le sirve de trampolín para su primer salto mental: podría pasar la noche con la prostituta.

> ...—No podía pensarla sino *esperando*— en la penumbra de su comedor adornado de platos, con aquel perezoso gesto, muy suyo, que le llevaba de las sienes a los pechos, de las corvas a la nuca —y lo dejaba descansar luego en el regazo— el abanico que tenía alientos de sándalo en la armadura de los calados (p. 143) [el subrayado es del autor].

Conviene anotar que desde el primer momento el escritor va entretejiendo las vidas de estos personajes, tan distantes y, sin embargo, tan cercanas, mediante todo un rosario de elementos exteriores: el Mirador, la mujer del zorro, la Sala de Conciertos, el billete, Estrella.

La tensión sexual del taquillero que se acentúa con el olor a humus, a tierra mojada que irrumpe en el vestíbulo, provoca que el joven boletero, en un salto simbólico espacio-temporal, quede instalado en la pequeña aldea de provincia. Es la segunda evocación del taquillero, que cumple el propósito de incitarlo aún más con la imagen de la Viuda. De aquí que el joven venza sus escrúpulos. Se había preparado para escuchar el concierto de esta noche, pero bien podía dispensarse de no hacerlo quien durante dos semanas había gozado de la ejecución más insigne en sus discos viejos que todavía sonaban bien. Decidido se dirigió a casa de Estrella. En contraposición a lo esperado la prostituta estaba desasosegada, inquieta, nerviosa, hablando de amenazas inferidas, cárceles y persecuciones. Trató de calmarla, impaciente por cumplir el rito erótico. Inútil. Cansado de escuchar lamentaciones le alargó el billete para que comprara «algo de beber» y «galletas para el desayuno». Curiosamente, el billete resulta ser la frustración total de sus planes, porque, según Estrella, «los billetes en que está el general con los ojos dormidos, son malos» (p. 161). Vuelto a la soledad, decepcionado, irritado por la contención de los deseos, el boletero emprende la vuelta a la Sala de Conciertos.

Pero he aquí que otro motivo exterior lo lanza al tercer desplazamiento espacio-temporal. Al pasar por el mercado el olor a corral de gallinas, a huerta, lo coloca en el «mapa de la Gran Cañada, cuyo cauce, erizado de junqueras, era el camino que tanto le había permitido jugar, allá, al Hombre Invisible» (p. 162). Ello es que el joven boletero, llevado por sus evocaciones que se prolongan mediante asociaciones de ideas y sensaciones diversas, se encuentra otra vez en la aldea, ahora, en el mundo de sus juegos infantiles. Y del recuerdo de la niña pasa al recuerdo de la Viuda, que en sí es otro desplazamiento temporal.

De suerte que el joven, desde el umbral del teatro salta mentalmente, primero, a la casa de Estrella; luego, a la aldea con la evocación de la Viuda. De regreso de la casa de la prostituta vuelve simbólicamente a su mundo infantil, con el recuerdo de la niña; por último, pasa de nuevo al recuerdo de la Viuda. Hay, pues, cuatro retrocesos mentales tempo-espaciales.

Pero luego de recorrer el mundo de su aldea contenido en su última evocación, volvía al punto de partida para sentirse el de siempre: un ser insignificante; un frustrado que no lograría desprenderse de su medio,

> ...ni se libraría del cuarto de criadas, del pañuelo puesto a secar en el espejo, de la media rota, cerrada sobre el dedo gordo con una ligadura de cordel, mientras la imagen de una prostituta bastara para apartarlo de lo Verdadero y lo Sublime (p. 165).

Envuelto en estos pensamientos tomó un taxi de alquiler. Llegó de vuelta al concierto cuando se iniciaban los finales de la sinfonía. Faltaban sólo unos nueve minutos para que terminara el concierto. El remordimiento por lo hecho le hacía esperar con ardor que finalizara la ejecución de la pieza para visitar a la anciana del Mirador en un intento de purificación.

Como se advierte, los movimientos espacio-temporales del taquillero, tanto regresivos (la vuelta a la aldea), como progresivos (el viaje en redondo a la casa de Estrella), quedan ceñidos en un fluir temporal que antecede en unos minutos al comienzo de la ejecución de la sinfonía hasta el inicio de la conclusión o coda, unos treinta y ocho minutos aproximadamente.

Estudio del tiempo regresivo del acosado

Se ha dicho que los *flash-backs* de los dos personajes principales se generan debido al mismo estímulo: «la mujer del zorro». Creemos haberlo demostrado en el caso del taquillero; veamos qué sucede con el estudiante acosado. El autor nos lo presenta en la Sala de Conciertos presa del terror que le produce el saber que sus perseguidores están sentados en las lunetas traseras esperando la culminación del acto para ultimarlo. El horror a la muerte próxima lo sume en un estado de inconsciencia acompañado de una serie de sensaciones físicas y psíquicas que lo sacuden convulsivamente; por demás, el joven no ha podido percatarse del lugar en que se encuentra. Los primeros golpes de la música los siente en sus entrañas cuando va recobrando la calma. Es entonces, aun en los límites de su turbación, cuando toma conciencia de que está en una sala de conciertos. En consecuencia, sus primeras reacciones obedecerán todavía a ese estado de angustia que lo domina. Quiere pasar inadvertido, pero al producirse una pausa aplaude extemporáneamente, la mujer del zorro, sentada unas butacas más allá, pronuncia la palabra «estúpido», que para él resuena en la sala como un eco, delatándolo. Cuando logra recobrar la calma de nuevo «la orquesta vuelve a tocar; algo grave, triste, lento. Y es la extraña, sorprendente, inexplicable sensación de conocer *eso* que están tocando» (p. 151) (el subrayado es del autor). Es en este instante, cuando casi pudiera marcar el compás de aquella música triste, que la mujer del zorro suelta la frase que lo lanza inconteniblemente a su vida, la vivida, la que está para concluir: «¡Qué bella es esta marcha fúnebre!» Luego de momentos de vacilación, hurgando aquí y allá en el recuerdo, buscando dónde y cuándo ha oído una marcha fúnebre, llega al lugar y al instante:

> ...pero ahora recuerdo; sí, recuerdo; recuerdo. Durante días he escuchado esta marcha fúnebre, sin saber que era una marcha fúnebre; durante días y días la he tenido al lado, envolviéndome, sonando en mi sueño, poblando mis vigilias, contemplando mis terrores; durante días y días ha volado sobre mí, como sombra de mala sombra, actuando en el aire que respiraba, pesando sobre mi cuerpo cuando me desplomaba al pie del muro, vomitando el agua bebida. No pudo ser una casualidad; estaba *eso* en la casa de al lado, porque Dios quiso que así fuera... (p. 152) [el subrayado es del autor].

Es bien evidente que es el comentario de la mujer del zorro, de cuya presencia se había impuesto ya el acosado, el que lo hace ahondar en sus recuerdos. Es así como el perseguido salta en el espacio y en el tiempo, como antes lo hiciera el boletero, para situarse en el Mirador, porque aquella casa de al lado a la que él se refiere no es otra que el edificio moderno que flanquea la vieja mansión en que está el Mirador, su último refugio, donde durante catorce días se sintiera invadido por las graves notas que, como un imponderable presagio, le venían de los discos del taquillero. No cabe la menor duda de que es la mujer del zorro la que mediante el gesto íntimo impulsa el tema del taquillero: la tensión sexual, la debilidad del hombre, el complejo de culpa y el deseo de purificación. Luego, la frase captada por el joven perseguido, lo dispara al mundo de los hechos abominables, la falta de voluntad, la culpa y el deseo de rehabilitarse (perdón o salvación).

A partir de este salto, el escritor mediante la técnica del *flash-back,* sostenida en motivos exteriores, asociaciones de ideas, o a una selección mental de los recuerdos, marca el tiempo regresivo del joven perseguido. Es así como nos encaramos con los momentos más significativos y dramáticos de la vida del estudiante comprendidos en los trece capítulos de la segunda parte del texto. Nosotros nos detendremos muy someramente en cada uno de ellos al efecto de subrayar el dramatismo de esa vida y su dimensión tempo-espacial.

El primer salto tempo-espacial lo coloca simbólicamente en el viejo palacete a su llegada a él hacía sólo dos semanas (capítulo I). Por asociaciones de ideas su mente lo transporta al enclaustramiento en el Mirador debido a la enfermedad de la vieja nodriza:

> ...la sobrina aparecía a cualquier hora, con una botella de leche, o una pequeña cazuela de caldo envuelta en papeles de periódicos. Por ello, había tenido que refugiarse en el Mirador, cerrando, de afuera, la puerta que conducía a la azotea (p. 172).

El hecho de que tuviera que pasar las noches vagando por las azoteas y el día arrinconado junto al viejo baúl lo lanza al segundo salto mental. El letrero en el lomo del baúl: «POR EXPRESO. *Procedencia: Sancti-Spiritus*» (p. 179), lo devuelve a su pueblo natal (capítulo II). En ese momento acude a su mente el instante decisivo de su vida en que dejara de ser el joven provinciano para convertirse en el estudiante de la capital.

Nos parece necesario detenernos a fin de hacer notar que no hay una secuencia temporal rigurosa en estas experiencias revividas por el acosado y que salen a flote por las razones que ya señaláramos. Así, primero, por los compases de la marcha fúnebre salta al palacete en su segunda vuelta al lugar. Recuerda los primeros días vividos allí hasta la enfermedad de la vieja y su encierro en el Mirador. En seguida el letrero del viejo baúl lo impulsa hacia su pueblo de provincia y, no sin cierta nostalgia, recuerda la despedida de su mundo infantil.

Al retornar simbólicamente al Mirador, en su mente se proyectan los días de su estreno en él a la llegada a la urbe capitalina; el tono maternal con que lo trataba la negra vieja; la seguridad de que allí no podría realizar su vida, la que se había propuesto; y su decisión de abandonar el lugar. Tras esas vivencias que incluían su prolongada ausencia del lugar, volvía al instante en que, perseguido, fuera la vieja la única que le brindase refugio.

Pero el baúl, además, lo lleva mentalmente a los primeros tiempos en la Universidad. En su fondo permanecían guardados los textos e instrumentos que hubiese manejado en la Escuela de Arquitectura. Ahora es la propia Universidad el resorte que lo mueve a recordar las primeras luchas en que interviniese.

> ...y, una mañana, se vio arrastrado por una manifestación que bajaba, vociferante, las escalinatas de la Universidad. Un poco más lejos fue el choque, la turbamulta y el pánico, con piedras y tejas que volaban sobre los rostros, mujeres pisoteadas, cabezas heridas, y balas que se encajaban en las carnes (p. 183).

Aquello había desenlazado en la época terrible que lo había devuelto al Mirador.

Es interesante notar que al reconstruir los acontecimientos de su vida desde el Mirador del palacete, el joven acosado sentía un deseo irrefrenable de rehabilitación. Este sentimiento lo lleva hacia Dios, a quien ofrecía «la vaciedad de su vientre, como un primer paso hacia la purificación» (p. 186).

El recuerdo del hambre padecida en la azotea lo devuelve al lugar (capítulo III). Acompañan a esa evocación los sufrimientos vividos, las sensaciones de sus órganos y la extenuación de su cuerpo.

La crisis religiosa, así como la muerte de la anciana, ocupan todo el capítulo IV. Este último suceso es el que lo lanza a la calle.

Conviene insistir en que estas experiencias revividas mentalmente no se enlazan en orden cronológico, puesto que la crisis religiosa antecede al hambre. Había comenzado cuando la vieja nodriza gozaba todavía de buena salud; por eso no es de extrañar que en las últimas páginas del capítulo III asome ya el sentimiento religioso del joven refugiado, que no es sino una consecuencia de lo que se narra en el capítulo IV. Por otro lado, es interesante señalar que la música de la *Heroica,* cuyas notas le llegan en ejecución indirecta desde los discos del taquillero, está estrechamente unida a la crisis religiosa del joven en el Mirador.

El capítulo V reproduce la confrontación del joven perseguido con la gente. Primero, en el velorio de la vieja; después, en la calle, en su peregrinación hasta la casa de Estrella. Debemos llamar la atención sobre el hecho de que casi todos los retrocesos mentales del joven hasta este capítulo se producen desde el Mirador, aunque, de hecho, él se encuentre sentado en la luneta de la Sala de Conciertos. A partir de este instante los recuerdos afluyen a su mente desde escenarios diversos.

Primero es la calle. Al dirigirse a la casa de Estrella, con el propósito de eludir el café «a cuya salida lo habían arrestado la noche aquella» (p. 209), había tenido que pasar por la plaza de mercados «entre los olores de polentas y tasajos» (p. 209). Resulta muy significativo el repertorio de coincidencias entre el acosado y el taquillero, entre ellas, este paso por la plaza de mercados, que el último realiza a su vuelta de la casa de Estrella; el primero en su viaje desde el Mirador hasta la casa de la prostituta. Existe, pues, la posibilidad de que ambos recorrieran el mismo espacio para llegar a la misma meta, aunque en direcciones contrarias. Dada la estructura de la novela, el recorrido del acosado hasta la casa de la prostituta se proyecta después de la del boletero, pero en la cronología normal, el primero se anticipa al segundo por cuestión de minutos. Además pareciera que hay una coincidencia entre el tiempo del recorrido físico del taquillero y el mental del joven acosado.

El capítulo VI se desarrolla todo en la casa de Estrella, a la que el joven perseguido vuelve luego de dos semanas de ausencia. Este lapso se ajusta a su estancia en el Mirador y la compra de los discos de la *Heroica* por el joven músico. La retrospección mental comprende en este capítulo la confesión del joven a Estrella y la reflexión de esta última, que tiene lugar mientras escucha los execrables hechos en que había participado el estudiante. En la recapitulación de su vida se nota que ella no se consideraba pecadora porque «'se peca con la cabeza' —había oído decir en un sermón, mal escuchado...» (p. 214). Para ella,

> ...su cabeza desempeñaba un papel secundario en la vida sorprendente de una carne que todos alababan en parecidos términos, identificados en los mismos gestos y apetencias, y que ella, subida en su propio zócalo, pregonaba como materia jamás rendida, de muy difícil posesión real, arrogándose derechos de indiferencia, de frigidez, de menosprecio, exigiendo siempre, aunque se diera en silencio cuando la apostura del visitante o la

> intuición de sus artes le parecían dignas de una entrega egoísta que invertía las situaciones, haciendo desempeñar al hombre el papel de la hembra poseída al pasar (...) Pero ahora, al saber de aquel miedo, de aquel hambre, de aquella soledad en agonía, la palabra se hinchaba de abyección. Ya no eran cuatro letras livianas las que le venían a la boca, luego de saber; era la Palabra innoble, cargada de purulencias y lapidaciones... (pp. 214-215).

Resulta así que en esta meditación encontramos dos elementos que merecen ser destacados. Por una parte, la consternación ante su manifiesta autenticidad, es decir, el sentimiento de culpa ante el pecado abyecto; por otra, su justificación con el inherente anhelo de borrarlo. Sentimientos que muy significativamente se pueden cotejar con los del acosado y el taquillero, como si hubiera una notoria intención por parte del autor de vaciar la identidad de los tres personajes en uno; o sea, que se nota como una sugerencia de complicidad y unidad de todos los destinos humanos.

Por otro lado, este autoanálisis de la prostituta, a todas luces inconfesado, que nos llega alojado en el monólogo indirecto del joven perseguido, es, en rigor, una vuelta al pasado, un *flash-back* que la transporta al momento en que, sin darse cuenta, empezó a sentarse en las piernas de los hombres, y se estira hasta ese presente en que perpleja escucha la confesión del joven acosado, por lo que no vacilamos en definirlo como una tercera regresión temporal. Así, la reflexión de la mujer es un tiempo regresivo contenido dentro de otro más extenso, el del hombre perseguido, como la confidencia de este último a la amante constituye una confesión dentro de otra más amplia, que comprende, como se ha dicho, los trece capítulos centrales. Ello es que una misma variante se repite varias veces en este extraño y complejo libro.

En el capítulo VII, la regresión temporal nos ofrece la salida de Estrella con el objetivo de llevar el mensaje al Alto Personaje, su regreso inmediato y, por último, el salto espacial del joven acosado por la ventana trasera. Es muy propio de Carpentier este salto que, con un propósito diferente, ya se observa en *Semejante a la noche*.

El capítulo VIII, que se inicia con la peregrinación del joven perseguido con rumbo a la casa del Alto Personaje, comprende las siguientes dimensiones regresivas: el recuerdo del personaje lo traslada a la época de la preparación de la bomba que debía explotar en las manos del enemigo de palacio; este alargamiento mental le hace recorrer varias escenas de su vida pasada que le habían traído hasta la butaca de la Sala de Conciertos, de la cual se encuentra tan mentalmente alejado. Al pasar por la colina del Príncipe, su mente le sirve de pantalla a la escena del tormento inminente a su carne y su declaración. Por fin, al alcanzar la colina universitaria pasaba revista al rosario de acontecimientos que tanto lo atormentaban.

En el capítulo IX, su pensamiento retorna al pasado hasta alcanzar los tiempos idos del Tribunal, el túnel que se había construido al objeto de eliminar al otro. Nuevamente evoca, lleno de estupor, la escena del juicio en que fuese juzgado el compañero incriminado y el fallo irremisible: la condena a muerte. Por último, su mente le proyecta la imagen del cuerpo inánime de su doble —hoy es él el delator perseguido con igual destino— en lo «presente ya ausente».

A los tiempos del Tribunal seguían, de acuerdo con la fluencia de sus vivencias, los tiempos del botín en el capítulo X; el brote de las pandillas con el ejercicio de la violencia siempre en provecho de alguien. Cabe indicar que todos estos últimos acontecimientos pasan por su mente desde el escenario de la colina universitaria. Las escenas vividas saltaban en su mente como saltan las figuras en una pantalla caleidoscópica. De la tortura a la carne en el Príncipe, a la construcción del túnel hasta el cementerio, al juicio del delator y su vida cercenada, a las pandillas armadas. Ebrio de culpas, «se tiró de bruces entre las raíces del álamo» (p. 238).

El capítulo XI lo coloca, de acuerdo con su monólogo, en el solar yermo donde antes se alzara la Casa de la Gestión, ahora en ruinas. Sentado en medio de los escombros proseguía la sucesión mental de los últimos hechos. Reconstruía la acción vituperable de aquellos que consideraban que la revolución no había terminado; la preparación de la bomba en la Antología de Oradores; otra vez, las escenas de la cárcel hasta la inminencia de la tortura que lo había llevado a la delación de sus compañeros; los periódicos que le revelaron días después los cadáveres de sus antiguos compañeros yacentes en charcos de sangre; para concluir en el acoso, la persecución a que se le había sometido. Su mirada en ese instante se volvía a Dios.

De aquí que, en el capítulo XII, surja entre sus recuerdos la imagen de la iglesia iluminada que pareciera ofrecérsele como refugio, la boda que en ella se celebraba y su presencia en la ceremonia, que pasara desapercibida para todos los concurrentes. Por fin, su expulsión del edificio por el párroco al considerarlo sacrílego.

Sin otra alternativa, revive, en el capítulo XIII, la imagen del Mirador como único refugio. Su paso por la caseta del Malecón donde encontrara al Becario. Concluye con el comienzo de su última jornada: la lluvia que caía a chorros, el café donde se refugia momentáneamente

—irónicamente el mismo que había eludido al comenzar su trayectoria— y los dos hombres que al verlo se levantan en actitud amenazante, hasta las circunstancias en que había entrado en la Sala de Conciertos.

Al terminar esta segunda parte de la novela, el lector se ha impuesto de que el joven estudiante perseguido ha cumplido su desplazamiento espacio-temporal. En efecto, desde la Sala de Conciertos, en virtud de la música de la *Heroica,* pasa al Mirador. Allí, como hemos visto, sus recuerdos irradian en todas direcciones, sumergiéndose en el pasado histórico inmediato, hasta la muerte de la anciana nodriza, que lo fuerza a lanzarse a la calle. Momentáneamente se refugia en la casa de Estrella. Luego es la calle de nuevo, donde su mente se convierte en una pantalla en que la cinta proyectada pareciera correr a saltos hacia atrás y hacia adelante brindándonos los momentos más convulsivos de su vida. Esta segunda etapa de su peregrinaje constituye su calvario de hombre perseguido: de la casa de Estrella marcha junto al Jardín Botánico; la Fortaleza del Príncipe; la colina universitaria, donde revive los momentos más exasperantes de su interminable agonía; después, la Casa de la Gestión, la iglesia iluminada, la caseta en los arrecifes del Malecón, el café en el que se refugia de la lluvia hasta su entrada intempestiva en la Sala de Conciertos. Fijémonos que el joven ha cerrado la segunda trayectoria espacial de la novela.

Recopilación y solución

En la tercera parte de la obra, el joven acosado vuelve mentalmente a la Sala de Conciertos para retomar el hilo de la música:

> ...y los músicos con esos instrumentos que parecen grandes resortes terminaron de tocar su música de jau-

> rías bendecidas, su misa de cazadores; luego el silencio, tantas veces *escuchado* en las terribles soledades del Mirador (...) tras de una pausa, es la otra música, la música a saltitos, con algo de esos juguetes de niños muy chicos que por el movimiento de varitas paralelas ponen dos muñecos a descargar martillos, alternativamente, sobre un mazo; ahora vendrán los valses quebrados, los gorjeos de las flautas, y serán las trompetas, las largas trompetas... (p. 267) [el subrayado es del autor].

Todo indica que el concierto está para concluir. El joven, impelido por la aproximación del fin, busca con urgencia la manera más eficaz de eludir a sus perseguidores. Finalmente decide esconderse debajo de las butacas cuando se enciendan las luces, al mismo tiempo que el público desaloje la sala.

Comienza así la recapitulación de esta tercera parte de la novela que efectúan los dos personajes principales. Por ejemplo, la mujer del zorro vuelve a repetir el gesto íntimo para aliviarse de algo que le molesta debajo de la falda con la seguridad de que todos los que la rodean están atentos a la orquesta. Esta vez es el joven acosado el que capta el movimiento de la dama. Por lo demás, en los últimos temblores de su agonía ve como en un vértigo todo lo que le rodea. En sucesivas asociaciones de ideas llega hasta

> ...las chozas de la infancia [dice], hechas de tablas, de retazos, de cartones, donde me agazapaba en días de lluvia, entre las gallinas mojadas, cuando todo era humedad, borbollones, goteras... (pp. 269-270).

De vuelta en la sala, piensa que, de burlar la vigilancia de los asesinos, lo

> ...buscarán afuera, en el café, bajo las pérgolas, tras de los árboles, de las columnas, en la calle de la talabar-

> tería, en la calle de la imprenta de tarjetas de visitas; pensarán, a lo mejor, que he subido al piso de la vieja, por ocultarme entre las negras gentes del velorio; acaso subirán y verán el cuerpo, encogido en su caja de tablas de lo peor; acaso me busquen hasta en el Mirador, sin sospechar que mis cosas puras, mis cajas de compases, mis primeros dibujos, están dentro del baúl... (página 271).

No hay duda de que la confesión, que no otra cosa es el largo monólogo, logra el propósito de la purificación con el retroceso del joven, primero, a su niñez, a su paraíso perdido, luego, al Mirador, donde el viejo baúl aún guarda las cosas de sus primeros tiempos en la Universidad.

El boletero, por su parte, todavía despechado por la insatisfacción de su libido, su debilidad y su complejo de culpa, piensa en el cuarto en desorden que le espera, en Estrella, a quien en su recuerdo trataba como lo que era en realidad: una ramera, «seguro que había delatado a alguien, a alguien que se hubiera confiado a ella olvidando que la ramera siempre es ramera y basura su apellido...» (p. 273). Después dirigió la vista al Mirador, iría a cerciorarse cuando terminara el concierto de si había muerto aquella negra que había despertado sus simpatías.

De suerte que el acosado y el taquillero resumen todos los elementos que de una manera directa o indirecta han jugado su *rol* en la trama hasta la terminación de la sinfonía, cuya ejecución, considera el segundo, ha sido conducida de manera infeliz. La pieza de concierto no duró los cuarenta y seis minutos de rigor.

La acción termina con los disparos de los hombres «que habían permanecido en sus asientos de penúltima fila» (p. 274) sobre el cuerpo del joven casi incrustado en la alfombra de la sala. Al oír el eco de los disparos acuden algunos músicos, el boletero y el policía. Este último exclamaba: «Uno menos», mientras el taquillero, reconociendo al joven, añadía: «Además, pasaba billetes falsos» (p. 275), a la vez que mostraba el billete en cuestión, que al final parecía quedar registrado en acta, pero que seguramente iría a engrosar los fondos del oficial.

Es importante puntualizar que el joven perseguido principia a revivir su vida de modo bien preciso cuando comienza el tercer movimiento, aunque toma conciencia del lugar en que se encuentra al finalizar el segundo movimiento, lo que de ninguna manera es un hecho fortuito. Es muy significativa la coincidencia. Es que el tema de la *Heroica* y el de la obra es el mismo: la vida del hombre. Como se sabe, todo el primer movimiento de la sinfonía está dedicado a la vida, con sus luchas, sus sufrimientos y sus obstáculos, a la voluntad de ser hasta llegar a la meta propuesta, al logro completo de lo que se pretende. Ahora bien, en realidad, la vida del perseguido ha pasado ya sin lograr su objetivo, desviándose fatalmente, por todo un repertorio de circunstancias, de la consecución de sus ideales. De manera que cuando el joven irrumpe en el vestíbulo está en el umbral de su muerte para pasar a la sala mortuoria, donde alcanza a escuchar los últimos acordes de su propia marcha fúnebre, la misma que le había estado anunciando, desde hacia dos semanas, su muerte. Más aún, si aceptáramos con Volek que «la Sala de Conciertos se convierte en una iglesia» [30], no tendríamos empacho en admitir que el joven está asistiendo a su propia misa de requiem.

Es así como *El acoso* «reconoce explícitamente la incapacidad de un hombre —quizá de todos los hombres—

---

[30] Volek, «Análisis del sistema...», p. 426. Esta misma relación la establece el acosado en las páginas 154-155 del texto que se estudia.

de estar a la altura de su destino histórico» [31], lo que constituye una nota de atroz pesimismo. La vida es, de hecho, un calvario en la que cada hombre arrastra pesadamente su cruz.

Análisis final tempo-espacial de la obra

Como se ha indicado al comienzo de nuestro estudio, en el libro se pueden establecer tres tiempos regresivos, ya estudiados, y tres tiempos progresivos. Sabemos que los primeros se refieren al taquillero, Estrella y el joven acosado; sin embargo, hay que señalar una vez más que el escritor no observa una secuencia cronológica rigurosa, por lo que resultan inmensurables. Sólo nos es posible apuntar el hecho de que tanto el joven estudiante como el boletero retornan en el mundo de sus recuerdos a la niñez, muy curiosamente, el taquillero al comienzo de la obra, el acosado al principio y al final.

En relación a los tiempos progresivos, hay que considerar: primero, el tiempo normal en que se desarrolla la trama, cuya duración es de difícil mesurabilidad, puesto que es menester tener en cuenta los minutos que anteceden al comienzo de la ejecución de la sinfonía y los que suceden a su fin; segundo, el lapso en que se enmarcan las vivencias regresivas más significativas de los tres personajes. Por ejemplo, pudiera estimarse que las experiencias del taquillero y su desplazamiento espacial se producen en el curso de tiempo que abarca desde unos minutos antes del comienzo de la *Heroica* hasta el inicio de la recopilación o coda. Arriesgándonos un poco pudiéramos calcular su duración en unos treinta y ocho minutos, si se advierte que sus *flash-backs* comienzan mo-

---

[31] Harss, *Los nuestros*, p. 65.

mentos antes de la ejecución de la pieza y que llega a la Sala de Conciertos, de vuelta de su recorrido físico, nueve minutos antes de su conclusión. En el caso del acosado, sus recuerdos se despliegan, de modo bien concreto, desde el instante en que principia el tercer movimiento hasta el segundo presente o flujo de la conciencia. Muy osadamente se puede estimar su duración en unos seis minutos. La regresión temporal de Estrella está enmarcada dentro de la del acosado [32].

En referencia al tiempo progresivo en que el novelista-musicólogo desarrolla la acción novelesca pudiera proponerse, no sin cierta nota de audacia por nuestra parte, un espacio temporal progresivo de unos cincuenta y cinco minutos aproximadamente [33]. Insistimos en que es necesario contar el tiempo que transcurre en el vestíbulo antes de la ejecución de la última pieza del concierto y los que fluyen una vez concluida la sinfonía hasta quedar desierta la sala, ultimar al joven, más las consecuencias ulteriores de este último hecho, siempre dentro del texto.

Resumiendo: las vivencias más importantes del taquillero se obtienen desde antes de empezar la *Heroica* hasta

---

[32] Para calcular el tiempo de los movimientos que nos interesan en la *Heroica* nos hemos basado en Beethoven, *Sinfonía núm. 3, opus 55, Heroica: auditorium,* música comentada por Jaime Uyá (Barcelona: Ediciones Zeus, 1969).

[33] Sobre las relaciones músico-temporales-estructurales entre *El acoso* y la *Heroica,* de Beethoven, véase el artículo de Volek, «Análisis del sistema...», pp. 386-438. También el artículo de Helmy Giacoman, «La relación músico-literaria entre la tercera sinfonía *Eroica,* de Beethoven, y la novela *El acoso,* de Alejo Carpentier», en *Homenaje,* páginas 440-446. Sobre el asunto de la dimensión temporal de la trama en relación con la mencionada sinfonía, pueden consultarse también los artículos de Alberto J. Carlos, «El anti-héroe en *El acoso*», en *Homenaje,* pp. 366-384, y, Alegría, «Alejo Carpentier: realismo mágico», pp. 66-69. Pueden verse, igualmente, los capítulos dedicados al autor en Harss, *Los nuestros;* Rodríguez Monegal, *Narrativa de esta América,* y, Márquez Rodríguez, *La obra narrativa,* pp. 81-83.

el comienzo de la conclusión o coda, pero aún durante esta última parte hay un recuerdo para la prostituta. Las del acosado, las más significativas, se producen durante

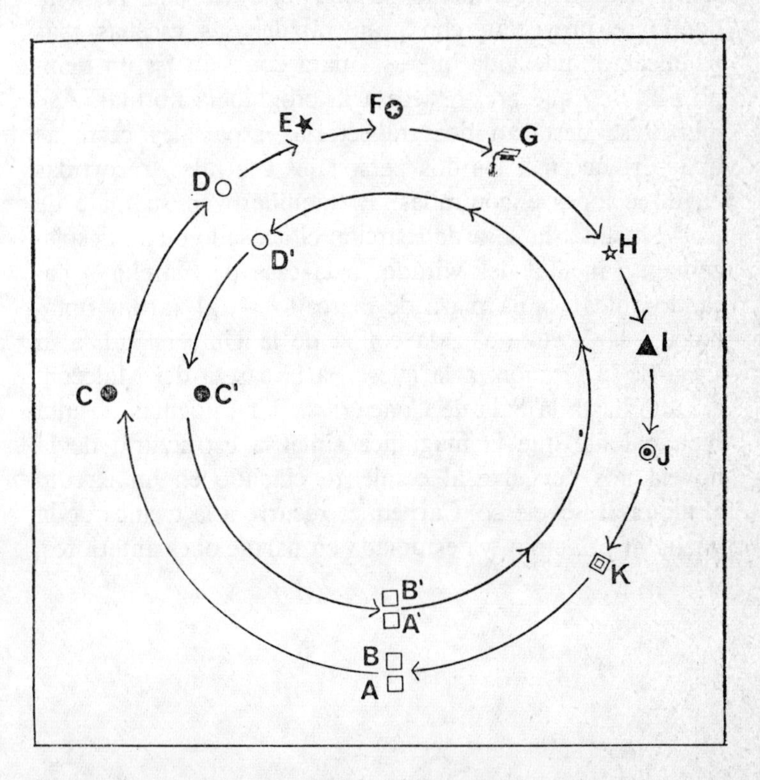

FIGURA 5.—*Movimientos espaciales del joven perseguido y del taquillero. Los dos círculos espaciales se reducen a uno. Hemos determinado el recorrido espacial del joven acosado con el punto de partida (A), el Mirador; (C), el mercado; (D), la casa de Estrella; (E), el Jardín Botánico; (F), la Fortaleza; (G), la colina de la Universidad; (H), la Casa de la Gestión; (I), la iglesia; (J), los arrecifes del Malecón; (K), el café, y (B), la Sala de Conciertos que, de acuerdo con todos los indicios, está situada frente al Mirador. Nótese que los símbolos dejados al margen son aquellos en que el joven no se detiene. El segundo círculo, en dirección opuesta a la del acosado, indica la dirección tomada por el joven taquillero: (B'), Sala de Conciertos; (D'), casa de Estrella; (C'), el mercado, y, (B'), Sala de Conciertos.*

el tercer movimiento, aunque hay reminiscencias de su niñez en los dos flujos de la conciencia. Los saltos tempoespaciales del boletero son cuatro. En lo que respecta al joven acosado, su mente se convierte en una pantalla donde se proyectan con gran rapidez las escenas más patéticas de una vida que está para concluir. Es un tiempo psíquico que no obedece a la cronología normal. Asimismo se destacan dos trayectorias espaciales cerradas que pertenecen a los dos personajes centrales, recorridas en direcciones encontradas. El taquillero en su viaje de ida y vuelta a la casa de Estrella; el acosado en su desplazamiento mental del Mirador a la casa de Estrella —pasando antes por la plaza de mercados—, al Jardín Botánico, a la Fortaleza, a la colina de la Universidad, a la Casa de la Gestión, a la iglesia, a la caseta del Malecón, al café, hasta la Sala de Conciertos. Por lo demás, resulta bien patente que la magnífica simetría estructural de la novela nos devuelve al comienzo ciñendo en un círculo el material novelesco. Carpentier recurre a la técnica de la vuelta al principio, ya estudiada en narraciones anteriores.

CAPÍTULO II

«EL REINO DE ESTE MUNDO»

LAS NOVELAS DE REVOLUCION

En 1949, Alejo Carpentier publica *El reino de este mundo,* la primera novela que le ofreciera el rango de novelista luego del intento de *Ecué-Yambá-O*. Del mismo modo, a esta novela se le otorga, entre otras categorías, la de ser la primera de las tres novelas del autor que se proyectan sobre hechos revolucionarios. La segunda, desde el punto de vista cronológico de su narrativa, es *El acoso* (1956). Como se sabe, Carpentier en esta obra toma una serie de hechos de la época posmachadista de Cuba para vaciarlos en moldes estéticos. Conviene puntualizar, sin embargo, que aunque el escritor revive en el texto episodios que se produjeron en ese período sangriento del pasado histórico de la isla, no es menos cierto que las nuevas técnicas estructurales que ensaya en ella, así como los experimentos temporales, constituyen el centro de interés literario de la obra más bien que el argumento que queda en el fondo. La última de las novelas de Carpentier que cae dentro de esta espera es *El siglo de las luces* (1962), que en cierto modo participa de ser su gran epílogo antillano, igualmente que de la primera de las novelas que agrupamos bajo este epígrafe, *El reino de este mundo,* puesto que, en estos dos últimos libros aludidos concurren significativas coincidencias en lo que se refiere al marco espacial, histórico, temporal y estructural, en el que el escritor moldea literariamente lo que le importa, su concepción de lo maravilloso, el hombre y la historia.

El hecho en sí refuerza de manera concreta la preocupación del novelista por el fluir histórico. En *El reino de este mundo* se recrean artísticamente, en la línea recta de la corriente temporal, episodios convulsivos y sangrientos de la historia de Haití que abarcan un período de unos sesenta años. Cronológicamente, este espacio de tiempo coincide con las últimas décadas del siglo XVIII, siglo de la ilustración, y las primeras del siglo XIX. Claro está que el novelista no pudo fabular minuciosamente el dinamismo histórico de esos sesenta años en novela tan corta. Carpentier, muy a propósito, no sólo entresaca los episodios de las revoluciones haitianas que más le subyugaran, sino que al mismo tiempo le proporcionaran el punto de apoyo para desarrollar su filosofía del tiempo, la vida y lo real maravilloso, último aspecto, éste, que fluye caudalosamente en la novela [1].

Dada esa selección, es necesario subrayar que el relato «narra una sucesión de hechos extraordinarios, ocurridos en la isla de Santo Domingo, en determinada época que no alcanza el lapso de una vida humana...» [2]. Por otra parte, Emil Volek señala certeramente que «para incluir un período tan largo en el género de la novela corta, el

---

[1] Sobre lo «real maravilloso» en este texto, véase el artículo de Emir Rodríguez Monegal, «Lo real y lo maravilloso en *El reino de este mundo*», *Revista Iberoamericana,* núms. 76-77 (julio-diciembre, 1971), pp. 617-649.

[2] Alejo Carpentier, *El reino de este mundo* (México, 1949), «Prólogo» a la primera edición.

autor, sin duda, tuvo que realizar una cuidadosa selección del material ofrecido por la historia»[3]. Pero hay que insistir en que ese corte sutilísimo de la historia no destruye la veracidad de los aconteceres recreados estéticamente por el autor en el texto. Por lo demás, y para reafirmar el acercamiento a la corriente histórica, allí están presentes personajes de ficción junto a personajes auténticos, cuyos nombres quedaron inscritos en las páginas de la historia. Entre los primeros se hace ineludible la mención de Ti Noel, protagonista que excede la jerarquía de la representación del hombre dentro de sus circunstancias para devenir al final en la significación plena del Hombre de todas las épocas, extenuado,

> ...un cansancio cósmico, de planeta cargado de piedras, caía sobre sus hombros descarnados por tantos golpes, sudores y rebeldías. Ti Noel había gastado su herencia y, a pesar de haber llegado a la última miseria, dejaba la misma herencia recibida[4].

Ti Noel es, pues, ese hombre anónimo, pero universal, esa parte del pueblo que pareciera no tomar parte en el quehacer histórico, pero que incuestionablemente lo empuja y determina.

En cuanto a los rigurosamente reales, por haber quedado sus nombres asentados en las páginas de los grandes libros, habría que citar al hechicero MacKandal y al líder jamaiquino Bouckman, ambos generadores de revoluciones haitianas; el general Leclerc y Paulina Bonaparte, representantes del mundo europeo; por último, Henri

---

[3] Emil Volek, «Análisis evaluativo e interpretación de *El reino de este mundo,* de Alejo Carpentier», en *Homenaje,* p. 150.

[4] Alejo Carpentier, *El reino de este mundo* (1.ª ed. en España; Barcelona: Editorial Seix Barral, 1967), p. 147. Las citas sucesivas se harán por esta edición con el número de la página entre paréntesis.

Christophe, un calco de Napoleón Bonaparte en el Nuevo Mundo, su esposa María Luisa y sus hijas Amatista y Atenais, que comparten con su padre los elementos culturales de los dos mundos que se yuxtaponen en la narración: el europeo y el negroide.

A otra categoría, que no participa de las peculiaridades de los personajes reales mencionados anteriormente, pertenecen el confesor Cornejo Breille, Esteban Salas, músico cubano a quien Carpentier le dedica todo un capítulo en su libro *La música de Cuba,* porque fue «el primer compositor cubano cuya obra hubiera de llegar hasta nosotros»[5], así como Juan Federico Edelman, músico también y como el anterior tomado de las páginas del propio libro —Edelman era hijo de un compositor alsaciano del mismo nombre que fuera guillotinado en París durante el proceso de la Revolución Francesa[6]—. Cierto que hay otros personajes históricos de primer rango que no se mencionan o que quedan en el trasfondo del relato, lo que no se debe en manera alguna a un propósito deliberado del escritor de burlar la historia, que, bueno es repetirlo, no pierde su exactitud en cuanto es posible en una novela que obedece primariamente a los objetivos estéticos e ideológicos del autor.

Además de esta constelación de datos que confirman el andamiaje histórico de la obra, cabría añadir, como un elemento básico más, el episodio de la emigración de los colonos franceses de Haití a Santiago de Cuba y la extraordinaria influencia que este fenómeno ejerce en el fomento de la economía y la cultura cubana, en esa región oriental de la isla en el siglo XVIII.

El propio novelista, en el «Prólogo» de la primera

---

[5] Carpentier, *La música en Cuba,* p. 59.
[6] *Ibíd.,* p. 140.

edición de la novela, en 1949, en el que además pone de relieve sus ideas sobre lo «real maravilloso», expone, como para disipar cualquier duda en lo que se refiere a la fidelidad histórica de los sucesos en que se apoya para disparar su imaginación, que el texto

> ...que va a leerse ha sido estabecido sobre una documentación extremadamente rigurosa que no solamente respeta la verdad histórica de los acontecimientos, los nombres de personajes —incluso secundarios—, de lugares y hasta las calles, sino que oculta, bajo su aparente intemporalidad, un minucioso cotejo de fechas y de cronologías [7].

Al efecto, cada una de las partes en que se divide la novela

> ...comprende, en realidad, un lapso determinado en la línea recta de la evolución histórica. La primera abarca aproximadamente la segunda mitad de los años sesenta del siglo XVIII. La segunda, el período desde la Revolución Francesa hasta 1802 (la muerte del general Leclerc). La tercera se concentra en el año 1820 (la caída de Henri Christophe). La cuarta transcurre en la primera mitad de los veinte del siglo XIX [8].

Así se comprueba que es el hilo histórico el que le sirve a Carpentier para tejer la trama en esta corta pero fascinante novela.

ESCENARIOS DE LA TRAMA

Consideramos provechoso, antes de entrar en la división y estructura de la obra, fijar los escenarios en que se

---

[7] Carpentier, «Prólogo».
[8] Volek, «Análisis evaluativo e interpretación...», p. 151.

desarrolla la acción. Aunque pudiera decirse que tiene uno principalísimo, la isla de Haití-Santo Domingo, hay otros que por los hechos que se proyectan en ellos merecen ser mencionados. Los dos marcos escénicos dominantes de la fábula se contornan a lo largo de la Llanura del Norte y la Ciudad del Cabo en Haití. Pero como en casi toda la narrativa carpentieriana —con excepción de *Viaje a la semilla* y *El acoso*—, en la que la acción y los personajes rebasan los límites espaciales de una isla o continente, en esta novela la trama también se desplaza a Santiago de Cuba y la isla de la Tortuga, en cuanto se refiere a las dos primeras partes. En las dos segundas, la narración vuelve a Haití, centrándose el desarrollo de la acción, de nuevo, en la Llanura del Norte, Sans-Souci y la Ciudadela. Luego hay una interpolación del autor que tiene lugar en Italia; después la acción regresa a Haití, donde el novelista vuelve a tomar a su personaje central para cerrar el libro.

DIVISION Y ESTRUCTURA

Como se ha dicho en una cita anterior, la novela se divide en cuatro partes. Las dos primeras se desenvuelven alrededor de las revoluciones del hechicero Mackandal y del líder jamaiquino Bouckman. También se incluyen en estas dos primeras partes la emigración de los colonos franceses con sus esclavos negros a Cuba, así como los acontecimientos cuya visión se perfila desde la perspectiva de Paulina Bonaparte de modo muy singular y desde la del general Leclerc en un orden secundario. La tercera y la última parte se mueven en torno a los extraordinarios sucesos de la tiranía de Henri Christophe y su muerte; el exilio de su mujer, sus hijas y el negro Solimán, y, por fin, la somera referencia a la instalación de la República de los mulatos. La obra finaliza con la visión del narrador sobre el *rol* que el Hombre debe jugar en este mundo.

Parecería, pues, que la estructura de la novela descansa en una serie de revueltas de los esclavos negros de la isla y de Ti Noel, guía de la trama, debido a que esas peripecias históricas se desarrollan en torno a una personalidad dada que comienza y cierra el ciclo[9]. Consecuentemente, resulta sugerente, además de eficaz al efecto de precisar nuestras ideas sobre el texto, establecer los ciclos temporales enfocados desde el personaje promotor, en cuyo caso tendríamos: el ciclo de Mackandal, que comprende en el libro desde el capítulo II hasta el final de la primera parte. Segundo, el ciclo de Bouckman, que abarca desde el capítulo primero de la segunda parte hasta el sexto. En realidad, el capítulo primero de esta segunda parte sirve, ante todo, de puente que enlaza el lapso de veinte años transcurridos entre un ciclo y otro. Tercero, el ciclo de Paulina Bonaparte y el general Leclerc, que comprende el resto de los capítulos de esta segunda parte, es decir, los números VI y VII. Este ciclo se inicia con la llegada de Paulina y el general Leclerc a Haití y termina con la muerte de este último, el regreso a Francia de la Bonaparte y una rápida alusión al gobierno de Rochambeau. Cuarto, el ciclo de Henri Christophe, que principia

[9] La estructura cíclica del libro se ha indicado ya por Emil Volek en «Análisis evaluativo e interpretación...». Dice el estudioso de la narrativa carpentieriana: «La perspectiva personal principal, desde la cual se proyecta la acción en el 'argumento' es la del esclavo negro Ti Noel. A base de ella surge el contraste básico: los esclavos negros contra los esclavistas. En el papel de éstos se turnan diversos grupos étnicos y organizan así el contenido del 'argumento' en tres ciclos: el de los colonos franceses (o sea, el blanco), el de Henri Christophe (o sea, el negro) y el de los Mulatos Republicanos (sólo insinuado).» *Ibíd.*, p. 153.

con la tercera parte de la obra. El primer capítulo, como en los casos anteriores, está dedicado al enlace de la trama que se abre a través de los ojos de Ti Noel con la imagen de Sans-Souci y se cancela con la muerte del personaje que ocupa el foco del ciclo histórico: Henri Christophe. Así concluye la tercera parte de la novela. El quinto lo constituye la insinuación de la República, que se ajusta en el texto al tercer capítulo de la cuarta parte. Los dos primeros capítulos de esta última sección los dedica el escritor a una interpolación que le permite desarrollar el realismo maravilloso en Italia, que abarca el primero de ellos; el segundo es un interregno de paz cuyo punto focal es Ti Noel. Las últimas páginas de la novela contienen el pensamiento de Carpentier sobre el *rol* del Hombre en la tierra desde la perspectiva del personaje central.

Es interesante destacar que los dos primeros ciclos son ciclos revolucionarios, que tienen su ascenso, culminación y declinación bien delimitados. La etapa de Paulina Bonaparte y el general Leclerc corresponde a un ciclo de reacción. Igualmente, parecería que los períodos de Henri Christophe y la República están delineados desde la reacción, aunque, de acuerdo con el repertorio de aparatos de las revoluciones modernas, bien pudieran considerarse como ciclos revolucionarios. De estos tres últimos ciclos temporales, el que mejor se visualiza, al menos en su culminación y caída, es el de Henri Christophe. Por otra parte, resulta curioso observar que los dos primeros ciclos descansan sobre los cimientos de la cultura negra; el de Paulina y el general Leclerc sobre elementos culturales franceses mezclados con elementos de la cultura negroide; los dos últimos se fundamentan sobre elementos negroides combinados con los europeos.

Así, la novela, en base a una serie de hechos acontecidos, ha quedado dividida en ciclos históricos que se abren y cierran. Al efecto de lo que se hace necesario puntualizar, que el devenir histórico con sus eventualidades no es sólo el hilo que teje la trama, sino que participa en buena medida de las peculiaridades propias de un protagonista. De ahí que pudiera decirse que «obviamente, Carpentier no escribe ni una novela histórica ni descriptiva ni tipicista, sino una sobre la Historia misma en que esta última figura como un antagonista alegórico del Hombre» [10].

La estructura del libro descansa así en cinco corrientes temporales cíclicas, engarzadas en el propio círculo que conforma la trama, porque la novela se inicia y termina con la misma situación de esclavización del Hombre por su semejante. Carpentier se orienta a darnos la imagen del tiempo histórico como una infinita y dramática peregrinación del Hombre que no logra alcanzar la meta propuesta.

YUXTAPOSICION DE DOS MUNDOS Y DOS PLANOS TEMPORALES

La obra se abre con la presentación de dos mundos que corren a lo largo del libro hasta la tiranía de Henri Christophe, en la que se palpa el entrevero de estas culturas. El mundo europeo de los colonos franceses que representa un plano temporal, se identifica, al comienzo de la obra, con Monsieur Lenormand de Mezy, mientras Ti Noel encarna el mundo mágico de los negros, es decir, el otro plano temporal. Estos dos personajes, contrapuntísticos entre sí, aparecen por primera vez en Ciudad del Cabo. La yuxtaposición de culturas, que conlleva la de

---

[10] *Ibíd.*, p. 170.

las dimensiones temporales, se prolonga porque el narrador se detiene lo suficiente frente al espectáculo de las cabezas que cuelgan por todas partes, por ejemplo, en la tripería y en la librería de la ciudad. A las de la primera, Ti Noel asocia las cabezas de los blancos. En las segundas, se singulariza la asociación a la vez que presagia las futuras eventualidades francesas: es la cabeza del rey de Francia la que cuelga en exhibición en «las últimas estampas recibidas de París» (p. 11).

La riqueza de estas yuxtaposiciones es enorme en los dos capítulos primeros. En efecto, el personaje central se encuentra en la librería con un grabado de cobre en el que se representa a un alto funcionario francés en el momento en que era «recibido por un negro rodeado de abanicos de plumas y sentado sobre un trono adornado de figuras de monos y de lagartos» (p. 11). Al instante, Ti Noel salta en el tiempo y en el espacio para plantarse en el mundo de las evocaciones de Mackandal. Y al rey de Francia yuxtapone el de Africa, donde

> ...el rey era guerrero, cazador, juez y sacerdote; su simiente preciosa engrosa estirpe de héroes. En Francia, en España, en cambio, el rey enviaba sus generales a combatir; era incompetente para dirimir litigios, se hacía regañar por cualquier fraile confesor y, en cuanto a riñones, no pasaba de engendrar un príncipe debilucho, incapaz de acabar con un venado sin ayuda de monteros, al que designaban, con inconsciente ironía, por el nombre de un pez tan inofensivo y frívolo como era el delfín. *Allá,* en cambio —en *Gran Allá*—, había príncipes duros como el yunque, y príncipes que eran el leopardo, y príncipes que conocían el lenguaje de los árboles, príncipes que mandaban sobre los cuatro puntos cardinales, dueños de la nube, de la semilla, del bronce y del fuego (p. 13).

Ello es que por la mente del esclavo fluye el contraste tan explícito entre los dos reyes —dos planos culturales, dos planos temporales— y sus respectivas cortes. La nota dominante recae en la cultura africana.

Luego el autor aprovecha el recorrido de amo y esclavo por la ciudad para yuxtaponer todo un repertorio de piezas que forman aquel cuadro de la Ciudad del Cabo. De este modo, a las señoras que salían de misa yuxtapone las negras que salen del mercado; a los títeres de un bululú el monito de Brasil, vestido a la española, que ofrecía un marinero a una dama. Del mismo modo, la «barragana de algún funcionario enriquecido, [que] se hacía seguir por una camarera de tan quebrado color como ella, que llevaba el abanico de palma, el breviario y el quitasol de borlas doradas» (p. 14), es, sin duda, un anticipo de la mezcla de los dos estados tempo-culturales que de manera tan patente se contempla en la última parte de la trama.

De hecho, pues, en el primer capítulo queda establecida la yuxtaposición contrapuntística entre el amo y el esclavo, que se dilata hasta alcanzar a las mujeres blancas y negras, rebasando los límites naturales de la isla para contraponer a los reyes de Africa y Europa. En el segundo capítulo, sin embargo, esta técnica del novelista alcanza mayor magnitud, puesto que ya no son dos reyes y dos cortes las que se cotejan para contrastar, sino dos mundos mediante las magnificadas narraciones del negro Mackandal, en las que era posible compulsar sus diferencias:

> ...el Cabo Francés, con sus campanarios, su edificios de cantería, sus casas normandas guarnecidas de larguísimos balcones techados, era bien poca cosa en comparación con las ciudades de Guinea. Allá había cúpulas

> de barro encarnado que se asentaban sobre grandes fortalezas bordeadas de almenas; mercados que eran famosos hasta más allá del lindero de los desiertos, hasta más allá de los pueblos sin tierras. En esas ciudades los artesanos eran diestros en ablandar los metales, forjando espadas que mordían como navajas sin pesar más que un ala en la mano de un combatiente. Ríos caudalosos, nacidos del hielo, lamían los pies del hombre, y no era menester traer la sal del País de la Sal. En casas muy grandes se guardaban el trigo, el sésamo, el millo, y se hacían, de reino en reino, intercambios que alcanzaban el aceite de oliva y los vinos de Andalucía. Bajo cobijas de palma dormían tambores gigantescos, madres de tambores, que tenían patas pintadas de rojo y semblantes humanos. Las lluvias obedecían a los conjuros de los sabios, y, en las fiestas de circuncisión, cuando las adolescentes bailaban con los muslos lacados de sangre, se golpeaban lajas sonoras que producían una música como de grandes cascadas domadas (pp. 17-18).

Es bien evidente que, con las narraciones del negro hechicero, Carpentier destaca las diferencias tempo-culturales entre los dos ámbitos. Frente al mundo decadente francés, de caras empolvadas y cabezas empelucadas, adquiere fuerza y vigor el mundo donde todo es gigantesco y abundante. El mundo de los poderes licantrópicos de Mackandal era fuerza que no dormía ni aun en el pequeño mundo de la isla antillana. Se alertaba con la llegada de cada barco negrero cargado de maravillas de allá. Es así, con esa técnica contrapuntística, que el escritor prepara al lector para entrar en la acción de la novela que se fundamenta en la confrontación de esos dos ámbitos que a la vez se traducen en dos niveles temporales.

ANALISIS DE LOS CICLOS TEMPORALES DE LA TRAMA

Ciclo de Mackandal

Como se ha indicado, el ciclo de Mackandal comienza en el capítulo II. Dentro de este lapso pueden delimitarse los siguientes componentes: la fase de la preparación del veneno por el hechicero que inicia la curva ascendente: «la subterránea marcha de la muerte» (p. 31), con la fluencia del veneno que inundaba toda la llanura aniquilando familias y crías; constituye ésta la fase del apogeo de este ciclo temporal. Con el temor que se apodera de los blancos y la reacción de éstos contra los esclavos principia el retroceso de la curva, cuyo relieve se hace más enérgico con la desaparición, mediante las metamorfosis, del negro hechicero. A esta última etapa puede sumársele la fe de los esclavos que confiaban no sólo en los poderes del mandinga para librarlos de la esclavitud, sino también en su pronto retorno. En contraposición a esta fe del negro esclavo, el narrador insinúa la desmoralización del blanco, entregado a la bebida, al juego y a otros placeres. Finalmente, la reaparición de Mackandal y su ejecución cierran el ciclo. De esa manera bien precisa alcanzamos el punto de partida, es decir, volvemos a la misma situación esclavista anterior a esta extraña revolución de Mackandal.

Pero conviene detenernos en la reaparición del manco ocurrida una noche de Navidad, cuando los esclavos, con la anuencia de sus amos, se habían reunido en el patio de la hacienda de Dufrane para festejar el nacimiento del primer varón del amo.

> ...Detrás del Tambor Madre se había erguido la humana persona de Mackandal. El mandinga Mackandal. Mackandal Hombre. El Manco. El Restitituido. El Acontecido. Nadie lo saludó, pero su mirada se encontró con la de todos. Y los tazones de aguardiente comenzaron a correr, de mano en mano, hacia su única mano que debía traer larga sed (p. 38).

Con este episodio se continúa la yuxtaposición tempocultural. Al niño nacido en el día de Navidad, el autor coteja la revelación de la figura humana del Manco, luego de prolongada ausencia. En rigor, a una vida que se inicia, la del niño blanco de origen europeo, se contrapone la vida que toca a su fin, la del negro Mackandal de origen africano. Lo que en cierta manera roza la idea carpentieriana de la vida.

El ciclo continúa en el patio de la Parroquial Mayor de Ciudad del Cabo, cuando una noche de enero el hombre que había desatado el terror en la Llanura del Norte desaparecería para siempre quemado en una pira de fuego. El hecho constituyó un gran acontecimiento al que acudían todos los funcionarios del rey en la isla. Se les veía instalados en «altos butacones encarnados», mientras las mujeres, alteradas por la emoción del espectáculo a contemplar, conversaban de balcón a balcón. Cabe apuntar que, una vez más, el escritor contrasta la alegría del blanco con la actitud de chocante indiferencia del negro frente a la horrible representación. Y es que si el mandinga había sido capaz de burlar las persecuciones del blanco, ¿por qué, pensaban los negros esclavos, no podía en este momento desatar las ligaduras que lo unían al madero y emprender el vuelo? Es, pues, la fe en la magia del *vaudou* lo que explica la fría postura del negro. Por eso, en el momento decisivo, los esclavos espectadores sólo vieron cómo el fuego comenzó a lamerle los pies al acontecido; éste «agitó su muñón que no habían podido atar» (p. 43), luego

> ...sus ataduras cayeron, y el cuerpo del negro se espigó en el aire, volando por sobre las cabezas, antes de hundirse en las ondas negras de la masa de esclavos. Un solo grito llenó la plaza.
> —*Mackandal sauvé!* (p. 43).

Pero no pudieron ver cuando, alcanzado por los soldados, era de nuevo metido en la pira de fuego. Para los esclavos, Mackandal no había muerto, «había cumplido su promesa, permaneciendo en el reino de este mundo» (p. 43).

Vale la pena señalar que todo este ciclo está dominado por el *vaudou* en la concepción del mundo que comporta, al mismo tiempo que en la fe que alienta en la libertad del hombre. La creencia en las propiedades de ciertas plantas y su uso, el veneno apareciendo y desapareciendo, las metamorfosis de Mackandal y la auténtica fe de los esclavos en los poderes de la magia constituyen así fundamentos esenciales de la mística africana. Realidad hispanoamericana en que descansa el concepto carpentieriano de lo real maravilloso, que revela un estadio del tiempo histórico distinto y en contraste con la actualidad europea.

De manera que el ciclo ha tenido su ascenso con la preparación del veneno, su culminación con la marcha sobre la llanura y el terror de los blancos y su declinación en la que convergen, contrastando entre sí, la fe del negro y la degeneración moral del blanco hasta la muerte del hechicero, que coincide con el punto inicial del período: la esclavitud del negro cuya libertad no se logra. Este ciclo temporal termina con la primera parte.

El ciclo de Bouckman

El segundo ciclo temporal corresponde a la revuelta que iniciara el líder jamaiquino Bouckman. Entre las dos rebeliones de esclavos hay un período de tiempo de unos veinte años. Ello es que esta nueva sublevación brota alentada por las ideas de la abolición de la esclavitud de la Revolución Francesa, que ya llegaban a todas partes de América y del mundo.

Es interesante notar que la segunda parte de la obra comienza de forma semejante a la primera. En efecto, el primer capítulo de esta segunda parte principia, como el de la primera, en la Ciudad del Cabo. El autor apunta los cambios que se habían operado en la ciudad en el transcurso de esos años, entre ellos nos impone de la existencia de la taberna de Henri Christophe, «La Corona». Cabría señalar cómo el novelista con el nombre de la taberna nos sugiere muy sutilmente un contraste entre el cocinero y el nombre de ella, a la vez que pudiéramos considerar a esta última como un preludio de su futura Sans-Souci o La Ciudadela.

Del mismo modo vuelve a contraponer a amo y esclavo. Mientras Lenormand de Mezy se había convertido en un erotómano, dado, por lo demás, a la bebida. Ti Noel, en cambio, había cumplido cabalmente con el precepto cristiano de «creced y multiplicaos», pues había tenido nueve hijos con una de las cocineras de la hacienda. Así, a la degeneración del blanco asocia, para contrastar, la virilidad del negro.

Entre las fases que conforman el ciclo propiamente dicho hay que subrayar la fe que mantenían los esclavos en el retorno de Mackandal, que, suponían ellos, los libraría de su sometimiento al blanco. Es decir, que uno de los componentes de la curva regresiva del ciclo anterior impulsa el comienzo de ésta. La aparición de Bouckman y el Gran Pacto que firman los juramentados, para lo cual habían tenido que cumplir ciertos ritos de la magia africana, precisan los contornos de la curva ascendente. La llamada de los caracoles y la consiguiente rebelión de los esclavos con la destrucción de crías y frutos refleja la culminación del movimiento revolucionario. La captura y ejecución del líder jamaiquino, en el mismo lugar en que fuera quemado Mackandal, inicia, junto a la inquietud de los blancos a quienes se les revelaba que «los esclavos tenían (...) una religión secreta que los alentaba y solidarizaba en sus rebeldías» (p. 64), la caída de la curva. A estos elementos de esta última etapa del ciclo hay que sumar la desmoralización del blanco, que, curiosamente, tiene efecto en la parte oriental de la isla de Cuba, a donde llegaban huyendo los colonos franceses procedentes de Haití con sus correspondientes esclavos. Entre ellos, el narrador incluye a Lenormand de Mezy y Ti Noel.

Al efecto de los preparativos de esta revolución resulta interesante reproducir lo que se lee en el libro de Carpentier, *La música en Cuba*:

> ...La noche del 14 de agosto de 1791, se produce, en Santo Domingo, un gravísimo acontecimiento. Suenan los tambores del vodú en Bois Caimán. Bajo una lluvia torrencial, doscientos delegados de dotaciones de la Llanura del Norte, llamados por el iluminado Bouckman, beben la sangre tibia de un cerdo negro, juramentándose para la rebelión. Ocho días después volaba sobre las montañas la voz ronca de los grandes caracoles [11].

---

[11] Carpentier, *La música en Cuba*, p. 100.

Este cotejo prueba que la documentación que el escritor acopiara para el mencionado libro le sirvió asimismo de fuente inigualable para este texto.

En cuanto a la casi constante de la desmoralización del hombre, que Carpentier señala a la caída de cada ciclo, nos parece que debemos apuntar el hecho de que, a pesar de la ruina, el miedo y las angustias sufridas por las revueltas de los negros esclavos en Haití, los colonos franceses tratasen de afirmar la vida entregándose a placeres licenciosos. Resultaba de todo punto chocante que,

> ...despojados de sus fortunas, arruinados, con media familia extraviada y las hijas convalecientes de violaciones de negros —que no era poco decir—, los antiguos colonos, lejos de lamentarse, estaban como rejuvenecidos... El viudo redescubría las ventajas del celibato; la esposa respetable se daba al adulterio con entusiasmo de inventor; los militares se gozaban con la ausencia de dianas; las señoritas protestantes conocían el halago del escenario, luciéndose con arrebol y lunares en la cara. Todas las jerarquías burguesas de la colonia habían caído (p. 68).

No obstante lo que se dice en la cita anterior, nos parece oportuno indicar que esa emigración francesa constituyó una inyección cultural y económica de gran efectividad para el desarrollo ulterior de la isla de Cuba. El mismo autor así lo expone en su libro *La música en Cuba* [12].

---

[12] Al referirse en este libro a esta emigración francesa a la parte oriental de la isla de Cuba, el escritor pone de relieve las actividades culturales y económicas que estos colonos desarrollaron en la provincia de Oriente. Las mujeres, por ejemplo, establecieron escuelas de bordado, dibujo e idioma. Los hombres plantaron cafetales. Fundaron un teatro, el Tívoli; formaron una orquesta; popularizaron muchos bailes, muy especialmente la contradanza. Con referencia a esta

En conclusión, este ciclo, como el anterior, tiene su fundamento en el vodú. En él quedan bien delimitadas la curva inicial, con la fe de los esclavos negros y los preparativos de la revolución; la culminación, con la rebelión y sus hechos sangrientos, y la curva que cierra el círculo, con la ejecución de Bouckman y la desmoralización de los blancos. El punto de partida y final, que en este caso es el mismo, está marcado por el *leitmotiv* de la acción novelesca: la esclavitud.

Ciclo de Paulina Bonaparte y el general Leclerc

El narrador inicia el ciclo imponiendo al lector del estado de excitación que cundía en la isla. No sólo se percibía la inquietud entre los esclavos haitianos, sino también entre los colonos monárquicos franceses, lo que constituía una fuente de preocupaciones para Leclerc, que, en previsión de males mayores, decidió comprar una casa en la isla de la Tortuga.

Mas es bien patente que no es el general Leclerc el eje alrededor del cual se mueve la acción en este ciclo temporal, sino su esposa Paulina Bonaparte, que monopoliza toda la atención del escritor desde que sale de Francia hasta que llega de regreso a ella, después de una generosa estancia en la isla de Haití y luego en la isla de la Tortuga. Ello es que Paulina le sirve a Carpentier para contornear el ciclo sensual de la mujer. Visto desde este

última, dice el musicólogo: «...el hecho es de capital importancia para la historia de la música cubana, ya que la *contradanza francesa* fue adoptada con sorprendente rapidez, permaneciendo en la isla, y *transformándose en una contradanza cubana,* cultivada por todos los compositores criollos del siglo XIX, que pasó a ser, incluso, el primer género de la música de la isla capaz de soportar triunfalmente la prueba de la exportación» (Carpentier, *La música en Cuba,* pp. 101-102).

nivel, comienza con sus escandalosas escenas en la cubierta del barco que la traía a Haití. Dormía

> ...al aire libre, y de tantos fue conocido su generoso descuido que hasta el seco Monsieur D'Esmenard, encargado de organizar la policía reprevisa de Santo Domingo, llegó a soñar despierto ante su academia, evocando en su honor la Galatea de los griegos (p. 76).

El ciclo obtiene su prominencia cuando ella se asegura los servicios del negro Solimán en Haití. El masajista,

> ...además de cuidar de su cuerpo, la frotaba con cremas de almendra, la depilaba y le pulía las uñas de los pies. Cuando se hacía bañar por él, Paulina sentía un placer maligno en rozar, dentro del agua de la piscina, los duros flancos de aquel servidor a quien sabía eternamente atormentado por el deseo... (p. 77).

La curva de retroceso se inicia en la isla de la Tortuga, cuando Paulina se somete totalmente al negro masajista, adentrándose en el mundo de sus ritos y su magia. El terror que la invadía por la epidemia del cólera desencadenada en Haití, la llevo a escuchar

> ...los consejos de Solimán, que recomendaba sahumerios de incienso, índigo, cáscaras de limón y oraciones que tenían poderes extraordinarios como la del Gran Juez, la de San Jorge y la de San Trastorno. Dejó lavar las puertas de la casa con plantas aromáticas y desechos de tabaco. Se arrodilló a los pies del crucifijo de madera oscura, con una devoción aparatosa y un poco campesina, gritando con el negro, al final de cada rezo: *Malo, Presto, Pasto, Effacio,* Amén... (p. 80).

La conclusión se alcanza con la muerte del general Leclerc y el regreso de la mujer a Francia. A la enfermedad y muerte del general hay que sumarle la constante del resquebrajamiento moral en esta etapa de regresión de la curva que cierra este fluir cíclico. Era bien notorio que ni el general Leclerc ni el general Rochambeau habían podido detener las sublevaciones de los esclavos, por lo cual los colonos que quedaban en la isla, perdida toda esperanza, se apresuraban a agotar todos los placeres entregándose a orgías sin límites.

> ...Nadie hacía caso de los relojes, ni las noches terminaban porque hubiera amanecido. Había que agotar el vino, extenuar la carne, estar de regreso del placer antes de que una catástrofe acabara con una posibilidad de goce. El gobernador dispensaba favores a cambio de mujeres. Las damas del Cabo se mofaron del edicto del difunto Leclerc, disponiendo que «las mujeres blancas que se hubiesen prostituido con negros fuesen devueltas a Francia, cualquiera que fuese su rango». Muchas hembras se dieron al tribadismo, exhibiéndose en los bailes con mulatas que llamaban sus *cocottes* (pp. 82-83).

Desde esta vertiente haitiana, el ciclo temporal concluye con la constante de la esclavitud. Se traían perros de la isla de Cuba con el objetivo de que cazaran y devoraran a los negros, lo que permite deducir que la inquietud de estos últimos, que se plantea al inicio de este lapso cíclico, no desaparece. Desde el plano europeo, el ciclo histórico mantiene su ascenso, cúspide y declinación mediante la revelación de la sensualidad de Paulina Bonaparte. En este caso, es bueno que apuntemos que a esta corriente temporal cerrada hay que añadirle la trayectoria espacial también cerrada que cumple la mujer con su salida y regreso a Francia, luego de una corta estancia en la isla de la Tortuga (véase fig. 6). La Bonaparte es, por otra parte, el testimonio de que se vale el autor para patentizar la recurrencia de leyes sincrónicas entre los mediterráneos europeo y caribe, a la vez que para desarrollar la temática de lo real maravilloso, tanto desde el lado americano como desde el horizonte europeo.

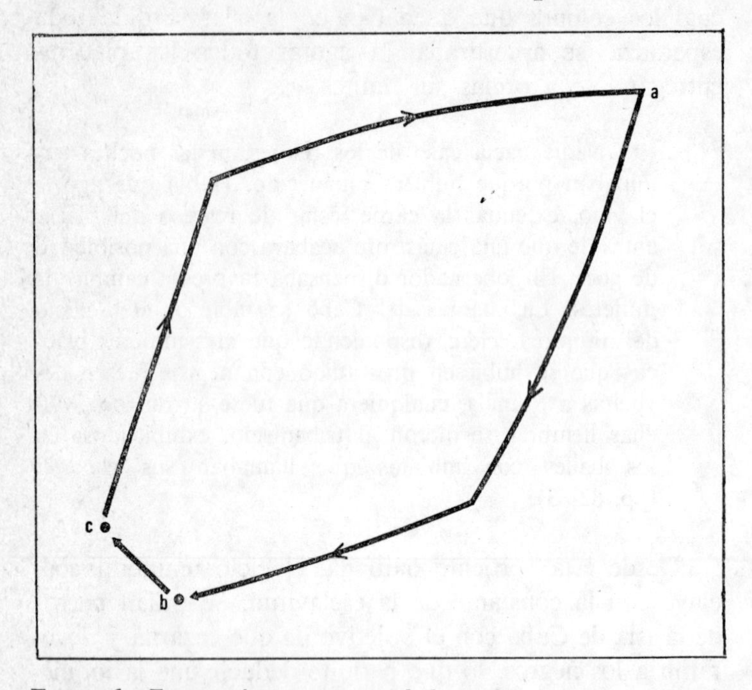

FIGURA 6.—*Trayectoria tempo-espacial de Paulina Bonaparte. Representa la curva cerrada espacio-temporal del ciclo del general Leclerc y Paulina Bonaparte. El lector puede determinar el punto de arranque de este espacio temporal con la curva espacial que arranca de Francia (a), cuyo perfil se continúa hasta Haití (b), donde alcanza su culminación; la Isla de la Tortuga (c), donde se inicia el retroceso de la curva espacio-temporal hasta que alcanza el punto inicial (a).*

Asimismo, el ciclo, que toma las últimas secciones de la segunda parte, técnica que Carpentier continúa en *El siglo de las luces,* es al mismo tiempo un período temporal que sirve de puente entre los dos ciclos anteriormente estudiados, rigurosamente dados desde el vodú, y los siguientes, en que se va a una conjugación de culturas desde la perspectiva de los personajes principales de este período: Paulina y Solimán.

El ciclo de Henri Christophe

El retorno de Ti Noel a la isla, libre ya de la esclavitud desde la época de Dessalines, inicia no sólo el cuarto ciclo del fluir del tiempo histórico, sino también la tercera parte de la novela. Ahora, «aunque marcado por dos hierros» (p. 87), de vuelta a su tierra, se sentía hombre libre que comenzaba una nueva jornada buscando sus pasos perdidos.

La curva de ascenso del ciclo comienza a esbozarse con los signos que el ex esclavo encontraba en su camino rumbo a la Llanura del Norte. La tierra había perdido su textura y color, los árboles y las plantas se habían convertido en esqueletos y los hombres con los que Ti Noel tropezara «no respondían al saludo, siguiendo con los ojos pegados al suelo, como el hocico de sus perros» (p. 88). Con estas imágenes de sequedad y tristeza el escritor nos introduce en esta época de Henri Christophe, a quien ya habíamos conocido como cocinero en la taberna de su propiedad *La Corona* en la Ciudad del Cabo. En un escalón más arriba, en dirección a esta etapa de confluencia cultural y, en consecuencia, de superposición de dimensiones temporales, lo encontramos, luego del fracaso de la revolución de Bouckman, vistiendo el uniforme de artillero colonial.

Prosigue dibujándose esta primera fase del ciclo con la aparición de los jinetes uniformados. El negro viejo se enfrentaba a toda una pompa napoleónica, que lo conducía a suntuosos vergeles, huertas bien cuidadas y también a un mundo de gente que

> ...trabajaba en esos campos, bajo la vigilancia de soldados armados de látigos que, de cuando en cuando, lanzaban un guijarro a un perezoso. «Presos», pensó Ti Noel, al ver que los guardianes eran negros, pero que los trabajadores también eran negros, lo cual contrariaba ciertas nociones que había adquirido en Santiago de Cuba, las noches en que había podido concurrir a alguna fiesta de tumbas y catás en el Cabildo de Negros Franceses (pp. 92-93).

Es demasiado evidente que el narrador, de una manera muy fina, nos da el *leitmotiv* en que descansa toda la trama: la esclavitud, el significado de aquellas señales con que Ti Noel había tropezado en su camino a la Llanura del Norte. Pero a esos descubrimientos seguían otros, tales como el imponente palacio rosado de Sans-Souci, y la iglesia que guardaba la imagen de la Inmaculada Concepción. Sin embargo, lo que más fascinó a Ti Noel fue la revelación de

> ...ese mundo prodigioso, como no lo habían conocido los gobernadores franceses del Cabo, era un mundo de negros. Porque negras eran aquellas hermosas señoras, de firme nalgatorio, que ahora bailaban la rueda en torno a una fuente de tritones; negros aquellos dos ministros de medias blancas, que descendían, con la cartera de becerro debajo del brazo, la escalinata de honor; negro aquel cocinero, con cola de armiño en el bonete, que recibía un venado de hombros de varios aldeanos conducidos por el Montero Mayor; negros aquellos húsares que trotaban en el picadero; negro aquel Gran Copero...; negros aquellos lacayos de peluca blanca, cuyos botones dorados eran contados por un mayordomo

> de verde chaqueta; negra, en fin, y bien negra, era la Inmaculada Concepción que se erguía sobre el altar mayor... (p. 94).

Sin duda que es importante insistir en la conjugación de las dos culturas en extravagante mestizaje, que, al mismo tiempo, comporta la superposición de los dos planos temporales que apuntáramos al comienzo del libro: la africana y la europea. Ti Noel conoció que la magnificencia de aquel mundo pertenecía a la corte de Henri Christophe. Y aunque él se sentía al margen de todo aquello, de inmediato quedaba incorporado a la esclavitud que allí se había establecido. Un palo que recibió en la espalda fue la señal,

> ...andando, andando, de arriba abajo y de abajo arriba, el negro comenzó a pensar que las orquestas de cámara de Sans-Souci, el fausto de los uniformes y las estatuas de blancas desnudas que se calentaban al sol sobre sus zócalos de almocárabes, entre los bojes tallados de los canteros, se debían a una esclavitud tan abominable como la que había conocido en la hacienda de Monsieur Lenormand de Mezy. Peor aún, puesto que había una infinita miseria en lo de verse apaleado por un negro, tan negro como uno, tan belfudo y pelicrespo, tan narizñato como uno; tan igual, tan mal nacido, tan marcado a hierro, posiblemente, como uno (pp. 99-100).

En efecto, luego de obtenerse la independencia de Francia y la libertad de los esclavos, el negro viejo constataba cómo renacía la esclavitud. Es decir, es la eterna repetición temporal que el autor ofrece en el material novelesco con la constante de la esclavitud del hombre. Con estos aconteceres el ciclo alcanza su punto climático.

El retroceso, aunque no aparece tan bien marcado, parece iniciarse con la terminación de los trabajos en la Ciudadela de La Ferriere. Henri Christophe ignoraba que ella no sería nunca habitada por él, sino que, por el contrario, sólo le serviría de mausoleo, porque aquel imperio levantado al estilo europeo, en falaz mestizaje, estaba condenado a desaparecer. El rey había olvidado sus raíces africanas por más que hubiera vaciado sangre de toros en estructuras europeas. Así se refuerza la vuelta de la curva cíclica. Henri Christophe le había dado la espalda a la mística africana tan venerada por los primeros líderes de la libertad. Había sido un traidor a su gente. Y los tambores del pueblo, «los tambores radás, los tambores congós, los tambores de Bouckman, los tambores de los Grandes Pactos, los tambores todos del Vodú» (p. 118), avanzaban ciñendo a Sans-Souci.

Ello es que en una escena en la iglesia católica que, sin duda, se yuxtapone a la reaparición del acontecido Mackandal en el rito negroide ya analizado, el escritor hace reaparecer, con rasgos muy netos, la figura de Cornejo Breille, el emparedado,

> ...frente al altar, de cara a los fieles, otro sacerdote se había erguido, como nacido del aire, con pedazos de hombros y de brazos aún mal corporizados. Mientras el semblante iba adquiriendo firmeza y expresión, de su boca sin labios, sin dientes, negra como agujero de gatera, surgía una voz tremebunda, que llenaba la nave con vibraciones de órgano a todo registro, haciendo temblar los vitrales en sus plomos.
>
> —*Absolve Dómine, animas omniun fidelium defunctorum ab omni vinculo delictorum...* (p. 110) [el subrayado pertenece al autor].

De manera que, por medio del vodú, en raro mestizaje con las revelaciones y ritos religiosos católicos, explica el novelista el fin del rey Christophe y de su poder. Antes de morir, en La Ciudadela, el propio Christophe había intuido

> ...que los verdaderos traidores a su causa... eran San Pedro con su llave, los capuchinos de San Francisco y el negro San Benito, con la virgen de semblante oscuro y manto azul, y los Evangelistas, cuyos libros había hecho besar en cada juramento de fidelidad; los mártires todos, a los que mandaba encender cirios que contenían trece monedas de oro. Después de lanzar una mirada de ira a la cúpula blanca de la capilla, llena de imágenes que le volvían las espaldas, de signos que se habían pasado al enemigo... (pp. 118-119).

Con la muerte del rey Christophe y el exilio de su familia acompañada del negro Solimán, termina este ciclo temporal.

Resulta así que los elementos constitutivos de este ciclo temporal histórico son: las señales que anuncian la esclavitud conforman la curva ascendente; el apogeo, el mundo europeizante de Henri Christophe y la propia esclavitud llevada a su más alto grado, y la conspiración de la mística africana que hace retroceder la curva cíclica hasta llegar al punto inicial: la desaparición del imperio.

Conviene que insistamos en que los dos primeros ciclos temporales caen de lleno dentro de la vertiente africana; los dos últimos, el de Henri Christophe y la República de los mulatos, en los que se acusa una verdadera simbiosis de culturas, están vistos desde la ladera europea. Como se ha indicado, el de Paulina Bonaparte, en la que se advierte cierta inclinación hacia la magia africana, tiende el puente para que concurran las dos dimensiones tempo-culturales.

El quinto ciclo

La cuarta parte abarca una interpolación del autor que tiene lugar en Italia. El novelista vuelve sobre el realismo maravilloso tomando como ejes, sobre los que hace girar su proyección, a Solimán y Paulina Bonaparte. Además aparece el interregno de Ti Noel, quien pareciera recobrar sus esperanzas en la liberación del hombre de las cadenas de la esclavitud. Por eso asumía en sí mismo la estampa de uno de aquellos reyes africanos, para lo cual dependía de las reminiscencias, todavía vivas en su mente, de los relatos de Mackandal.

Parecería que todo hubiese cambiado. La Llanura rebosaba de alegría y el negro viejo dictaba órdenes mansas, producto de un gobierno generoso, «puesto que ninguna tiranía de blancos ni de negros parecía amenazar su libertad» (p. 139). Pero esta paz concluía una mañana en que Ti Noel columbró en actividad a unos mulatos agrimensores que llegaban desde Port-au-Prince y «que desenrollaban largas cintas sobre el suelo, hincaban estacas, cargaban plomadas, miraban por unos tubos y por cualquier motivo se erizaban de reglas y de cartabones» (p. 141).

Hasta la Llanura del Norte llegaban los edictos de la República de los mulatos, que hacían de las faenas agrícolas un trabajo obligatorio,

> ...Mackandal no había previsto esto del *trabajo obligatorio*. Tampoco Bouckman, el jamaicano. Lo de los mulatos era novedad en que no pudiera haber pensado José Antonio Aponte, decapitado por el marqués de Someruelos, cuya historia de rebeldía era conocida por Ti Noel desde sus días de esclavitud cubana (p. 142) [el subrayado es nuestro].

Fijémonos que con el resurgir de una nueva forma de esclavitud comienza un ciclo que no se desarrolla, asoma solamente, pero que, de acuerdo con la percepción del fluir del tiempo histórico que tiene el novelista, concluirá, porque cada ciclo tiene una curva progresiva ascendente, un punto de culminación y, por fin, una regresión final que invariablemente nos conduce al principio. Por eso es posible deducir que la República de los mulatos desaparecerá, especialmente, porque establece una nueva forma de esclavitud, *el trabajo obligatorio,* en discordancia con la concepción de la libertad del hombre en que descansa el vodú, del mismo modo que con los arraigados anhelos de libertad del hombre de todas las épocas.

Ti Noel, entre aquellos recuerdos que contrastaban con la amarga realidad que se le venía encima, sintió la necesidad de ayudar a sus súbditos.

> ...El anciano comenzaba a desesperarse ante ese inacabable retoñar de cadenas, ese renacer de grillos, esa proliferación de miserias, que los más resignados acababan por aceptar como prueba de la inutilidad de toda rebeldía (p. 143).

De nuevo el negro viejo recordaba a Mackandal, y como le faltaran las fuerzas, intentó imitar al manco escondiéndose bajo el disfraz de ciertos animales. Mas en ninguno de los disfraces que vistió logró la felicidad. Al cabo creyó encontrar el lugar adecuado entre los cisnes, porque ellos

> ...eran gente de orden, de fundamento y de sistema, cuya existencia era ajena a todo sometimiento de individuos a individuos de la misma especie. El principio de la autoridad, personificado en el Ansar Mayor, era el meramente necesario para mantener el orden dentro

> del clan, procediéndose en esto a la manera del rey o capataz de los viejos cabildos africanos (p. 146).

Entre otras revelaciones, el pasaje de los gansos muestra cómo ellos, en oposición al hombre, pueden vivir al margen de la esclavitud. Desgraciadamente, Ti Noel no podía permanecer como miembro de la colectividad del Ansar Mayor. Primero, porque le era imposible desprenderse de su condición humana; segundo, porque los gansos no aceptan extraños, a gentes que ellos no hubieran visto nacer, es así que, para ellos, el hombre esclavo «era un meteco».

SOLUCION

Es precisamente en este instante cuando Carpentier nos propone la solución. El repudio de los gansos le hizo comprender a Ti Noel que las metamorfosis de Mackandal para nada tenían que ver con la cobardía; al contrario, se debieron a su deseo de ayudar a los hombres; él, en cambio, se transformaba al objeto de encontrar un refugio frente a tanto «retoñar de cadenas», era, pues, un desertor. Pero volvió a revivir,

> ...en el espacio de un pálpito, los momentos capitales de su vida; volvió a ver a los héroes que le habían revelado la fuerza y la abundancia de sus lejanos antepasados del Africa, haciéndole creer en las posibles germinaciones del porvenir. Se sintió viejo de siglos incontables... (p. 147).

De este modo el escritor concluye los rasgos ecuménicos de Ti Noel para darnos su pensamiento sobre la posición del hombre en el reino de este mundo con las últimas meditaciones del negro viejo:

> ...Y comprendía, ahora, que el hombre nunca sabe para quién padece y espera. Padece y espera y trabaja para gentes que nunca conocerá, y que a su vez padecerán y esperarán y trabajarán para otros que tampoco serán felices, pues el hombre ansía siempre una felicidad situada más allá de la porción que le es otorgada. Pero la grandeza del hombre está precisamente en querer mejorar lo que es. En imponerse tareas. En el Reino de los Cielos no hay grandeza que conquistar, puesto que allá todo es jerarquía establecida, incógnita despejada, existir sin término, imposibilidad de sacrificio, reposo y deleite. Por ello, agobiado de penas y Tareas, hermoso dentro de su miseria, capaz de amar en medio de las plagas, el hombre sólo puede hallar su grandeza, su máxima medida en el Reino de este Mundo (pp.147-148).

Mas cuando Ti Noel se apresta a enfrentarse con la tiranía de la República de los mulatos cuarterones, un viento verde que surge del océano lo levanta en una espiral que parece perderse en Bois Caimán, en yuxtaposición a la imagen de un buitre «cruz de plumas que acabó por plegarse y hundir el vuelo en las espesuras de Bois Caimán» (p. 149).

La novela termina con un ciclo temporal que no se cierra, pero fácil es adivinar, dado los ciclos anteriores, qué resultará en el mismo proceso. Ti Noel y los suyos han sufrido las experiencias de distintas sublevaciones en las que invariablemente se repiten los mismos acontecimientos. Las revoluciones todas pasan por las mismas fases: pasado el primer momento de lucha activa, se institucionalizan para comenzar de nuevo y desembocar en otras revoluciones. Desde el nivel del hombre son ciclos de entusiasmos y esperanzas, aceptación y nuevas rebeldías hasta el infinito. «Como la serpiente que se enrolla para tragarse la cola, la historia circula sin desembocar nunca» [13].

RECAPITULACION TEMPO-ESPACIAL DE LA NOVELA

Carpentier fija el tiempo en la obra con cinco ciclos temporales que se abren y cierran con la esclavitud. En los tres primeros la recurrencia histórica de la esclavitud del

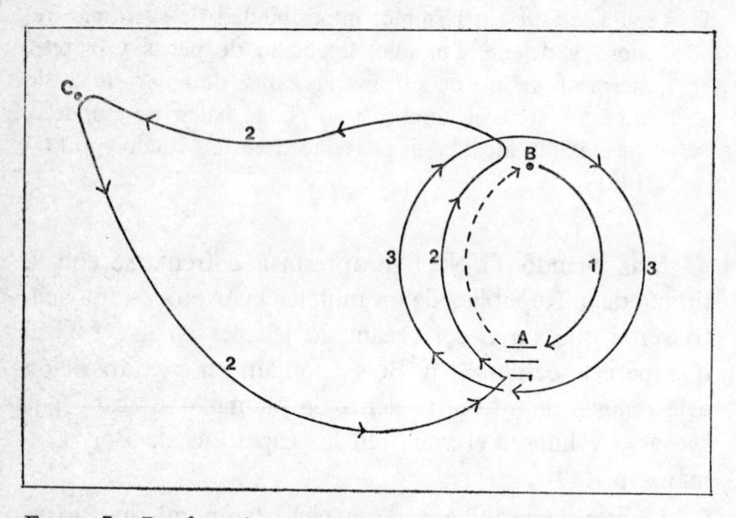

FIGURA 7.—*Desplazamientos tempo-espaciales de Ti Noel. Los puntos de referencia son (A), Llanura del Norte; (B), Ciudad del Cabo; y (C), Santiago de Cuba.*

hombre está vista como sistema durante la época colonial; en los dos últimos, desde la concepción mítica que ve en el devenir histórico al hombre como esclavo del hombre. La estructura de la novela obedece a esa circularidad. Los ciclos se superponen unos a otros obteniendo al final una

[13] Harss, *Los nuestros*, p. 64.

espiral temporal en la cima de la cual queda el hombre en un afán eterno e inútil de quitarse las cadenas que el prójimo le impone, porque el mismo fenómeno se repetirá incesantemente en este agobiante peregrinar cíclico.

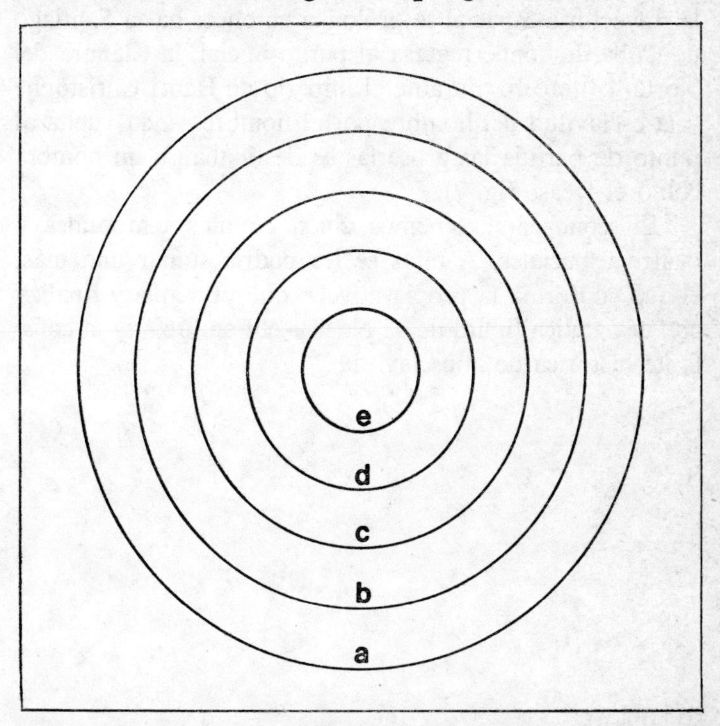

FIGURA 8.—*Ciclos temporales históricos. Los ciclos que marcan estas líneas curvas que se van enrollando hasta formar una espiral son: (a) la revolución del veneno de Mackandal; (b) la rebelión esclavista de Bouckman; (c) el puente temporal del general Leclerc y la Bonaparte; (d) el curso temporal de Henri Christophe; (e) el ciclo aludido de la República de los mulatos.*

En su inclinación a la circularidad no sólo temporal, sino también espacial, hay que considerar, además del desplazamiento de la Bonaparte, los de Ti Noel a la Ciudad del Cabo que comportan repeticiones temporales dentro de los contextos históricos de las épocas en que se producen. El primero, al abrirse la novela. A su regreso a la Llanura del Norte, las groserías iban dirigidas a un rey extraño; el segundo, luego de la rebelión de Bouckman, la trayectoria espacial se prolonga entonces hasta Santiago de Cuba de donde regresa al punto inicial, la Llanura del Norte. El tercero, durante el imperio de Henri Christophe y la esclavitud del hombre por el hombre. A su vuelta al punto de partida las groserías se destinaban a un hombre como él (véase fig. 7).

En conclusión, tenemos cinco círculos temporales y cuatro espaciales. A ellos se les podría sumar uno más, el que conforma la propia novela, que principia y finaliza con la patética figura de Ti Noel —el hombre— y la constante histórica de la esclavitud.

Capítulo III

«LOS PASOS PERDIDOS»

Aunque el autor de *Los pasos perdidos* mantiene en la obra como puntos centrales su preocupación por el tiempo y el hombre sobre un andamiaje histórico, no cabe la menor duda de que la novela es de otro tono, de otra naturaleza. Precisa señalar que en ninguno de los textos estudiados hasta ahora en este estudio Carpentier se acerca tanto a nosotros, a nuestra angustia de hombres del siglo XX, como en este libro donde tan bien dilucidadas han quedado las últimas décadas de esta centuria que le sirven de arranque a la trama. Esa aproximación a nuestro presente es lo que tal vez nos identifica plenamente con el personaje central; al tiempo que lo discursivo de la obra le presta categoría de novela y de ensayo,

> ...pues, este autor, bien pertrechado de la problemática de nuestra época y de los grandes temas estéticos de nuestra edad, ofrece en ese libro, que no es exclusivamente novela, sino ensayo, leyenda y crónica, atisbos muy interesantes acerca de esta época nuestra, su complejidad ideológica, sus polémicas estéticas, sin olvidar el destino esencial de nuestro hemisferio [1].

---

[1] Bueno, *La letra como testigo,* pp. 170-171.

Resulta así muy significativo el enfoque estético-filosófico de la visión contemporánea del mundo moderno que se proyecta en la novela. La nefasta mecanización con la consiguiente automatización de esta época es uno, entre otros muchos problemas candentes, que el escritor plantea en el libro. Junto a ésta, Carpentier introduce otras disertaciones no menos sugerentes, tales como la deserción de ciertos jóvenes intelectuales hispanoamericanos que entregados a los círculos parisienses terminan perdiendo toda posibilidad creativa. El narrador aprovecha esta teoría [2] para exaltar la riqueza de nuestro continente, su contenido «maravilloso», así como su concepción de este mundo, como el mundo del futuro, equiparando el Mediterráneo caribe, en su función de hervidero de civilizaciones, al Mediterráneo europeo, teoría que el escritor arrastra desde *El reino de este mundo*.

Sin pretender agotar la enumeración de las proposiciones discutidas en la novela, cabe, sin embargo, sumar a las citadas, la del origen mimético-mágico-rítmico de la música, que, al mismo tiempo le sirve de pretexto para su evasión; la pseudointelectualidad, carcoma de la sociedad actual; los movimientos pseudointelectuales y pseudorrevolucionarios que, desposeídos de sinceridad y hones-

[2] Sobre el aspecto discursivo de la obra, Rodríguez Monegal (*Narradores de esta América,* p. 273) señala que «no faltan teorías en el libro —y no sólo teorías sobre el origen de la música (242), sino teorías sobre la anacrónica tradición americana (64-65), sobre la fusión de las grandes razas del mundo de América (103) o sobre la simbiosis de culturas en nuestro continente (146)—». Del mismo modo, Márquez Rodríguez (*La obra narrativa,* p. 55) dice: «Podría señalarse también como un rasgo experimental el hecho de que *Los pasos perdidos* rompe la barrera de lo estrictamente narrativo y se adentra por caminos que no son rigurosamente propios de la novela en su esquema tradicional. El tema —o los temas— de este libro, en efecto, podrían haberse tratado de otra manera: en forma de ensayo, pongamos por caso.»

tidad de propósitos, sirven a los que los patrocinan para escalar posiciones, o como vía para procurarse una libertad sexual mal entendida; la felicidad del hombre en contacto directo con la naturaleza; los valores espirituales del ser humano en contraste con la materialización de la época; el papel de la mujer en la sociedad, tema tan debatido actualmente, y, en fin, su particular teoría sobre el amor.

Anotados, pues, algunos de los temas sobre los cuales el autor discurre, consideramos conveniente dar ahora una visión totalizadora de la obra. Pudiéramos decir también, con palabras de un estudioso de su narrativa, que

> ...le Partage des eaux[3] n'est pas que l'histoire de cette évasion manquée. C'est aussi un roman d'aventures, un voyage aux terres inconnues, parmi des peuples primitifs et ignorés; c'est le poème d'une nature grandiose et c'est, à d'autres égards, un roman de l'amour vrai et malhereux. Toutes ces significations se superposent dans le récit, se développent simultanément et donnet à l'oeuvre cette exubérance, cette densité, cette chaleur qui est la marque des meilleurs romans ibéro-américains[4].

La novela es eso, y la imagen de un mundo supermecanizado que nos ofrece un sensitivo intelectual cuya aflicción de hombre que *existe*, en este presente atroz, invade toda la obra, excepto, claro está, las páginas en las que logra casi despojarse del peso de una civilización que lo agobia y escapar de las colmenas de muros fríos que lo constriñen.

---

[3] Como sabemos, *Los pasos perdidos* ha sido traducida al francés con el título de *Le partage des eaux*.

[4] Jean Blanzat, «*Le partage des eaux*, d'Alejo Carpentier», *Figaro Litteraire* (París), enero 7, 1956.

EL FONDO HISTORICO

Carpentier no puede desasirse de la historia en la obra. La trama descansa en una simbología histórica vertida en moldes estéticos. Es necesario puntualizar al efecto que la obra es singularmente rica en su temática. La historia de la cual parte el novelista nos está dada de manera muy precisa, pues ¿qué es lo que hace su protagonista, sino intentar un escape a través del tiempo y el espacio hasta las mismas raíces del hombre y su habitat, hasta el Valle del Tiempo Detenido, y así, por todas las etapas de la evolución humana, hasta llegar a la época de los fósiles primeros, a los bordes mismos de la eternidad?

> C'est ainsi que le personnage central du «Partage des Eaux» se trouve doublement confronté: à l'envahissante nature vénézuélienne, véritable prison végétale, et aux diverses étapes de l'évolution humaine: petites bourgades endormies à l'heure coloniale, établissements précaires des premiers conquistadors, peuplades de la forêt [5].

El propio autor, al referir cómo surgió esta novela, subraya su base histórica:

> América [dice] es el único continente donde distintas edades coexisten, donde un hombre del siglo XX puede darse la mano con otro del Cuaternario o con otro de poblados sin periódicos ni comunicaciones que se asemeja al de la Edad Media o existir contemporáneamente con otro de provincia más cerca del romanticismo de 1850 que de esta época [6].

---

[5] Claude Fell, «Recontre avec Alejo Carpentier», *Languages Modernes,* núm. 3 (mayo-junio 1965), p. 103.

[6] Leante, «Confesiones...», p. 27.

Es éste el escenario en que se emplaza la mayor parte de la acción. Es bastante evidente que, como en los relatos estudiados anteriormente, en este texto el escritor depende otra vez del ambiente histórico. La prueba más cumplida de que la evolución de la humanidad dispara la imaginación creativa del escritor es el viaje, por lo demás premonitorio, que el personaje central realiza a lo largo de los estadios de la civilización humana frente a las vitrinas del Museo de Arte de la Universidad que luego financiará su viaje.

> ...De súbito, la universalidad de ciertas imágenes... me llevó a los días ya lejanos en que había tratado de aliviar una congoja de viajero decepcionado, de peregrino frustrado por la profanación de Santos Lugares, en el mundo —casi sin ventanas— de los museos. *Eran los meses en que visitaba las tiendas de artesanos, los palcos de ópera, los jardines y cementerios de las estampas románticas, antes de asistir con Goya a los combates del Dos de Mayo, o de seguirle en el Entierro de la Sardina,* cuyas máscaras inquietantes más tenían de penitentes borrachos, de mengues de auto sacramental, que de disfraces de jolgorio. Luego de un descanso entre los labriegos de Le Nain, *iba a caer en pleno Renacimiento, gracias a algún retrato de condottiero, de los que cabalgan caballos más mármol que carne...* Agradábame a veces *convivir con los burgueses medievales, que tan abundosamente tragaban su vino de especias,* se hacían pintar con la Virgen donada —para constancia de la donación—, *trinchaban lechones de tetas chamuscadas, echaban sus gallos flamencos a pelear, y metían la mano en el escote de ribaldas* de ceroso semblante que, más que lascivas, parecían alegres mozas de tarde de domingo, puestas en venia de pecar nuevamente por la absolución de un confesor. *Una hebilla de hierro, una bárbara corona erizada de púas martilladas, que*

> *llevaban luego a la Europa merovingia,* de selvas profundas, tierras sin caminos, migraciones de ratas, fieras famosas por haber llegado espumajeantes de rabia, en día de feria, hasta la Plaza Mayor de una ciudad. Luego, *eran las piedras de Micenas,* las galas sepulcrales, *las alfarerías pesadas de una Grecia tosca y aventurera, anterior a sus propios clasicismos,* toda oliente a reses asadas a la llama, a cardadas y boñigas, a sudor de garañones en celo. Y así, de peldaño en peldaño, *llegaba a las vitrinas de los rascadores, hachas, cuchillos de sílex,* en cuya orilla me detenía, fascinado por la noche del *magdaleniense, solutrense, prechelense, sintiéndome llegado a los confines del hombre,* a aquel límite de lo posible que podía haber sido, según ciertos cosmógrafos primitivos, el borde de la tierra plana, *allí donde asomándose la cabeza al vértigo sideral del infinito, debía verse el cielo también abajo... El cronos de Goya me devolvió a la época,* por el camino de vastas cocinas ennoblecidas de bodegones [los subrayados son nuestros] [7].

El novelista nos anticipa, en este monólogo interior del personaje central, el periplo, que surge, bueno es destacarlo, de estímulos exteriores, y que emprenderá simbólicamente en el tiempo y en el espacio. Pero el lector debe considerar este viaje preludio, uno más de los tantos que el protagonista lleva a cabo en el texto.

DIVISION Y ESTRUCTURA

La novela está narrada en primera persona, pero con un estilo propio del autor, pues como apunta Müller-Bergh, hay, entre otras peculiaridades, un predominio notable «del imperfecto de indicativo, el gran tiempo indefi-

---

[7] Carpentier, *Los pasos perdidos,* pp. 38-39.

nido de la añoranza, cargado de fuerza intuitiva y evocaciones...»[8]. El libro se divide en seis capítulos que a su vez se cortan en secciones. A primera vista pareciera que la estructura de la fábula descansa en un tiempo regresivo lineal que nos lleva desde el presente —la ciudad supertecnificada— hasta la eternidad —Santa Mónica de los Venados—, mas no es así. Si se examina cuidadosamente la narración se advierte que el personaje central sigue una senda temporal zigzagueante, muy especialmente a partir de su llegada al continente sudamericano hasta alcanzar la atemporalidad. Pero hay más. El hecho de que la trama se inicie y acabe en el mismo lugar y dimensión temporal está ya sugiriendo el «eterno retorno» tan peculiar en los relatos del escritor, por lo cual es posible indicar no sólo una estructura regresiva, sino también circular enlazada a regresiones y progresiones, preferentemente, como se ha indicado, dentro de la regresión principal, o sea, en el camino del hombre hacia lo desconocido. A ellas habría que sumar el retroceso inicial que responde al viaje preludio y el final que provoca la segunda salida. Movimientos tempo-espaciales simbólicos zigzagueantes, estos últimos, que se producen en el propio presente del héroe.

Ahora bien, teniendo en cuenta que los tres puntos focales de la obra son: el mundo moderno, representado por la ciudad supertecnificada; el mundo primitivo, casi atemporal de Santa Mónica de los Venados, y el viaje, que es el hilo que une a esos dos mundos, nosotros, con el propósito de ofrecer una visión más adecuada de nuestras

---

[8] Véase, al efecto, el artículo de Klaus Müller-Bergh, «En torno al estilo de Alejo Carpentier en *Los pasos perdidos*», en *Homenaje*, página 203; también puede consultarse el de Roberto González Echevarría, «Ironía narrativa y estilo en *Los pasos perdidos*, de Alejo Carpentier», *Nueva Narrativa Hispanoamericana*, I, núm. 1 (enero 1971), páginas 117-125.

ideas sobre la novela, hemos decidido establecer las partes que a continuación enunciamos. Primera, la ciudad supertecnificada o el presente, que coincide con el primer capítulo del libro. Segundo, el umbral o antesala del viaje, que abarca el capítulo II. A partir de este capítulo se inicia el viaje que, para una mejor comprensión, dividimos en jornadas. La primera jornada, desde los Altos hasta Santiago de los Aguinaldos. Comprende la primera parte del capítulo III, es decir, hasta la sección XII. La segunda jornada, desde Puerto Anunciación hasta la aldea de los griegos. Corresponde en el libro desde la sección XIII del capítulo III hasta su conclusión. La tercera, abarca desde la entrada a lo desconocido hasta la aldea de los indios primitivos. Esta jornada se ajusta en el texto al capítulo IV. La quinta y última jornada del viaje incluye todo el mundo de Santa Mónica de los Venados y coincide con el capítulo V de la obra. La última parte está dedicada a la vuelta del viajero al mundo civilizado hasta desembocar en la solución. Es el capítulo VI. De otro modo, los dos polos entre los que se mueve el protagonista son los dos mundos contrapuntísticos a ambos extremos del viaje, siendo este último en sí el cauce por donde se desliza la aventura, que es «la búsqueda interior del hombre contemporáneo, amarrado a la roca de muchos engaños —Prometeo sin fuego—, deslumbrado por toda clase de abalorios» [9].

ESCENARIOS DE LA TRAMA

El primer escenario corresponde a una ciudad cualquiera, no identificada por el novelista, en que la técnica

---

[9] Juan Loveluck, «*Los pasos perdidos:* Jasón y el nuevo vellocino», *Atenea* (Revista de la Universidad de Concepción, Chile), CXLIX (enero-marzo 1963), p. 126.

moderna se halla desarrollado al máximo. Los estudiosos de Carpentier casi en su totalidad se han decidido por una ciudad norteamericana [10].

El segundo escenario puede localizarse en el continente sudamericano, tampoco mencionado en la obra. Sin embargo, el autor deja una nota al final del libro en que describe con exactitud la situación geográfica de los lugares más notorios del periplo del protagonista, identificando el río que remonta como el Orinoco. La selva por donde se adentrá será, en este caso, la amazónica, que cubre una gran parte de los países del norte de Sudamérica.

LA CIUDAD SUPERTECNIFICADA: EL «PRESENTE»

Se abre el texto con la visión totalizadora del narrador sobre la ciudad del «presente» en todos sus componentes: el hogar, el taller, los edificios, las calles y muy particularmente el hombre de nuestra época. A esta última se le denomina «era del Hombre-Avispa, del Hombre-Ninguno» (p. 15).

La vida del personaje central, un musicólogo que tiene una teoría sobre el origen de la música, se balancea entre dos vacíos: el del hogar, aposento de cosas que sólo cumplen la función de revelar el ritmo mecanizado y monótono de las vidas del protagonista y su esposa y el Consorcio Pesquero, colmena de colmenas, donde se vive en un repetir incesante de los mismos gestos y la ausencia

---

[10] Ante la coincidencia casi unánime en la ubicación de la ciudad supertecnificada en algún lugar de Norteamérica consideramos interesante indicar la excepción. Loveluck (*ibíd.*, p. 127) menciona a Nueva York, pero añade Londres y París como posibilidades.

absoluta de comunicación entre gentes que al dejarse de ver olvidan rostros y nombres.

Ocupándolo todo está la ciudad moderna, donde lo que señorea es el asfalto conjuntamente con las estructuras de cemento semejantes a colmenas, ocupadas por millones de hombres que ven fluir un tiempo que no viven. Por las calles, interminables laberintos, se mueve una multitud agitada por la prisa en busca de una meta inalcanzable por ignorada, para lo cual se desplaza al ritmo de semáforos y semáforos tratando de llegar a la otra orilla, inaccesible por la misma razón.

Dentro de ese mundo asfixiante todo confluye para que el musicógrafo pueda iniciar su aventura acompañado de Mouche, su amante, la seudointelectual conformada en el baratillo surrealista. Con el pretexto de unas vacaciones y la búsqueda de una colección de instrumentos musicales primitivos, se aproxima la partida.

De este presente histórico parte el narrador para en un deslizamiento tempo-espacial simbólico recorrer los estadios de la evolución cultural del hombre hasta alcanzar la formación de la tierra y la aparición del ser humano con sus primeras manifestaciones culturales. Importa subrayar que a la vez que arribamos a las fronteras de lo histórico a lo largo de la escala temporal regresiva, hemos de alcanzarlas, del mismo modo, en la escala temporal judeo-cristiana. No está de más que apuntemos que a estas dos escalas regresivas que corren dentro de una escala de tiempo normal progresivo de seis semanas pueda añadírsele otra, la del regreso a la infancia del personaje central.

ANALISIS DE LAS COORDENADAS TEMPO-ESPACIALES DEL VIAJE

El umbral o antesala

En un vuelo intercontinental de pocas horas —el absurdo de la rapidez de las comunicaciones físicas, contrastando con la escasa y casi ausencia total de las comunicaciones entre los seres humanos— penetramos con el narrador en una ciudad hispanoamericana, cuya identificación también nos regatea el escritor; pero, como la primera, responde a una tipificación. Esta vez, por los elementos que nos proporciona el novelista, además de la ya mencionada nota al final del texto, no vacilaremos en la localización de la ciudad en el continente sudamericano.

El salto espacial comporta más de un salto en el nivel temporal. La toma de contacto con el continente hispanoamericano devuelve al personaje central a épocas pretéritas, la primera de las cuales es la regresión al mundo de su niñez —el narrador es de origen hispanoamericano.

> ...Y una fuerza me penetra lentamente por los oídos, por los poros: el idioma. He aquí, pues, el idioma que hablé en mi infancia; el idioma en que aprendí a leer y a solfear; el idioma enmohecido en mi mente por el poco uso... (p. 46).

Es necesario advertir que, dados sus diversos contextos, la ciudad hispanoamericana participa de las características de la ciudad moderna, al mismo tiempo que de las peculiaridades propias de otras dimensiones temporales. Y así, el protagonista se siente devuelto a su presente en el hotel donde se aloja.

> ...De pronto, una forma conocida me hizo detenerme, titubeando, con la sensación extraña de que no había viajado, de que siempre estaba allá, en alguno de mis tránsitos cotidianos, en alguna mansión de lo impersonal y sin estilo. Yo conocía este extinguidor de metal rojo, con su placa de instrucciones; yo conocía, de muy largo tiempo también, la alfombra que pisaba, los modillones del cielo raso y esos guarismos de bronce detrás de los cuales estaban los mismos muebles, enseres, objetos dispuestos de idéntica manera, junto a algún cromo que representaba la Jungfrau, el Niágara o la Torre Inclinada. Esa idea de no haberme movido pasó el calambre de mi rostro al cuerpo. Vuelto a una noción de colmena, me sentí oprimido, comprimido, entre estas paredes paralelas, donde las escobas abandonadas por la servidumbre parecían herramientas dejadas por galeotes en fuga (pp. 63-64).

Pero en otros rincones de la propia ciudad comenzará un retroceso más intenso de la corriente temporal. Conviene, por otro lado, hacer una observación sobre este viaje o viajes del narrador, y es que, aunque su aventura se efectúa, como hemos indicado, en un sentido inverso al fluir temporal, a través de los túneles del tiempo histórico, prehistórico y bíblico hasta tocar lo intemporal, en él no se mantiene una rígida cronología lineal, sino que hay, en la mayoría de los casos, una superposición de estratos temporales que corresponden a más de un período de la evolución de la humanidad. Ello es que este viaje obedece a una simbología exterior que se prodiga gracias a la erudición del escritor.

En la urbe hispanoamericana, la superposición de niveles temporales es precisamente lo que es peculiar en ella. Por eso, los saltos temporales se balancean en su espacio pluridimensional desde los más primitivos hábitos de vida hasta la cima de la escala temporal histórica: el horror asfixiante de las celdillas de colmenas de esta centuria. De ahí que si una experiencia como la anterior lo retrotrae a la época que le parecía abandonar, otra, vivida dentro del mismo marco ambiental, lo colocará en el siglo XIX:

> ...esta gran rotonda de terciopelo, con sus escotes generosos, el pañuelo de encajes entibiado entre los senos, las cabelleras profundas, el perfume a veces excesivo; ese escenario donde los cantantes perfilaban sus arias con las manos llevadas al corazón, en medio de una portentosa vegetación de telas colgadas; ese complejo de tradiciones, comportamientos, maneras de hacer, imposible ya de remozar en una gran capital moderna, era el mundo mágico del teatro, tal como pudo haberlo conocido mi ardiente y pálida bisabuela...
>
> ....
>
> Ya no esperaban afuera los cocheros negros de altas botas y chisteras con escarapela; no se mecerían en el puerto los fanales de las corbetas, ni había tonadilla en fin de fiesta. Pero eran, en el público, los mismos rostros enrojecidos de gozo ante *la función romántica:* era la misma desatención ante lo que no cantaban las primeras figuras, y que, apenas salido de páginas muy sabidas, sólo servía de fondo melodioso a un vasto mecanismo de miradas intencionadas, de ojeadas vigilantes, cuchicheos detrás del abanico, risas ahogadas, noticias que iban y venían, discreteos, desdenes y fintas, juego cuyas reglas me eran desconocidas, pero que yo observaba con envidia de niño dejado fuera de un gran baile de disfraces (pp. 49-50) [el subrayado es nuestro].

El hombre, en virtud de este espectáculo, salta en el tiempo para situarse en plena época romántica. Mas no es esta la única experiencia que en la urbe hispanoamericana lo hace retroceder una centuria. En las calles silenciosas y desiertas, de campanas vetustas, en las que asoma algún que otro edificio construido en la época de Felipe II, el protagonista pareciera mecerse temporalmente entre los siglos XVI y XVIII. Al término de una de ellas, el curso temporal se desliza en siglos que se suman y el narrador se detiene, mediante otro espectáculo, en el siglo XIX. Dice:

> ...nos encontramos frente a una casona de anchos soportales y musgoso tejado, cuyas ventanas se abrían sobre un salón adornado por viejos cuadros con marcos dorados. Metimos las caras entre las rejas, descubriendo que junto a un magnífico general de ros y entorchados, al lado de una pintura exquisita que mostraba tres damas paseando en una volanta, había un retrato de Taglioni, con pequeñas alas de libélula en el tallo. Las luces estaban encendidas en medio de cristales tallados y no se advertía, sin embargo, una presencia humana en los corredores que conducían a otras estancias iluminadas. *Era como si un siglo antes se hubiese dispuesto todo para un baile al que nadie hubiera asistido nunca.* De pronto, en un piano al que el trópico había dado sonoridad de espineta, sonó la pomposa introducción de un vals tocado a cuatro manos. Luego, la brisa agitó las cortinas y el salón entero pareció esfumarse en un revuelo de tules y encajes (pp. 51-52) [el subrayado es nuestro].

De modo que las calles desiertas, los campanarios vetustos y los edificios coloniales lo desplazan inversamente en el tiempo tres o cuatro centurias. El repertorio de tradiciones y la música lo empujan de nuevo en la escala progresiva tres o cuatro siglos.

Pero si aún quisiéramos remontar más el curso del tiempo regresivo en esta ciudad hispanoamericana, sólo tendríamos que asistir al encuentro del personaje central con el hombre que en una esquina «abanicaba el fuego de una hornilla sobre la que se asaba un pernil de ternero, hincado con ajos, cuyas grasas reventaban en humo acre, bajo una rociada de orégano, limón y pimienta» (p. 53). De un salto se nos ha venido encima la Edad Media, porque es éste uno de esos usos medievales que todavía preserva Hispanoamérica. No nos asombra esa técnica carpentieriana de saltos simbólicos temporales o espaciales, o ambos a la vez, que ya hemos registrado en *Semejante a la noche* y *El acoso*. Para reforzar lo que acabamos de advertir, dejémonos llevar por la imaginación creativa del escritor para precipitarnos en un tiempo aún más remoto, el de la Grecia primitiva, que se produce cuando el hombre topa con la harina que sirve para amasar el pan,

> ...el pan que debe ser tomado con gesto deferente antes de quebrar su corteza sobre el ancho cuenco de sopa de puerros o de asperjarlo con aceite y sal, para volver a hallar un sabor que, más que sabor a pan con aceite y sal, *es el gran sabor mediterráneo que ya llevaban pegado a la lengua los compañeros de Ulises* (p. 53) [el subrayado es nuestro].

Por consiguiente, el mundo de la ciudad hispanoamericana arrastra a nuestro héroe a un pasado histórico que se alarga hasta la época del discreto marinero, pasando por un pretérito que cae dentro de su presente, su infancia, el romanticismo (siglo XIX), la Edad Moderna (siglos XVI-XVIII), de nuevo el romanticismo y la Edad Media. Ese pasado histórico es, pues, túnel temporal por el que se desliza el narrador en este viaje de intento de recuperación de su autenticidad.

En la escala de este desplazamiento espacio-temporal del personaje central de *Los pasos perdidos*, la segunda estación de tránsito es la ciudad de Los Altos, «apacible población de veraneo» en la que a simple vista hay vestigios de varios estratos temporales. La población es

> ...muy favorcida por los extranjeros, a causa de su clima y de sus talleres de platería, en la que, por lo mismo, se aplicaban blandamente las disposiciones policiales. Allí tenía su estudio [la pintora], en una casa del siglo XVII, conseguida por una bagatela, cuyo patio principal parecía una réplica del patio de la Posada de la Sangre, de Toledo (p. 65).

Los talleres de platería, la casa del siglo XVII, Toledo, la Posada de la Sangre, constelación de elementos que concurren para voltear temporalmente al protagonista a épocas pretéritas, tal vez al siglo que se menciona o acaso hasta los siglos XVI ó XV. En cambio, el encuentro con los tres jóvenes intelectuales hispanoamericanos —un músico, un poeta y un escritor— en el mismo lugar lo devuelve a la atroz centuria de la que escapa. Mas al bajar a la taberna cercana, el hombre se desentiende de su presente para volcarse en la Edad Media. Las notas de la música de un arpista le sirven de contrapunto al atonalismo de la época dejada atrás. Aquel arpista con aire de juglar medieval

> ...descalzo, con su instrumento terciado en la espalda, el sombrero en la mano, pidió permiso para hacer un poco de música. Venía de muy lejos... donde fuera a cumplir, como otros años, la promesa de tocar frente a la iglesia el día de la Invención de la Cruz... Hubo un silencio, y con la gravedad de quien oficia un rito, el arpista colocó las manos sobre la cuerda, entregándose a la inspiración de un preludiar, para desentumecerse los dedos, que me llenó de admiración. Había en sus escalas en sus recitativos de grave diseño, interrumpidos por acordes majestuosos y amplios, *algo que evocaba la*

festiva grandeza de los preámbulos de órgano de la Edad Media (pp. 78-79) [el subrayado es nuestro].

De manera que de nuevo, mediante la música de este juglar medieval que anda de iglesia en iglesia, de plaza en plaza y de taberna en taberna con su arpa, evocación de instrumentos remotos, el narrador se coloca en los tiempos medievales. Nos parece bueno insistir en el balanceo temporal del hombre innominado entre su presente, del que intenta erradicarse, y el pasado que busca insistentemente. Parecería que estos avances y retrocesos temporales, que este no acabar de desembarazarse de su época que se nota a lo largo de toda la trayectoria viática del héroe, con mayor intensidad en sus inicios, en escala más reducida a medida que se aproxima a su culminación, obedecen a los flujos y reflujos de su conciencia. Por eso importa puntualizar que es el viaje interior del protagonista, que se proyecta, se inicia y casi se logra, el de más significación para nosotros, puesto que en definitiva lo que pretende este hombre —que no tiene nombre— es encontrarse a sí mismo, enfrentarse al hombre que ha dejado de ser por un temprano desarraigo, a la vez que por la propia alienación de la época: es la agonía entre un insoslayable *ser* del presente y un inalcanzable *ser* del pasado.

Jornada Primera: desde Los Altos a Santiago de los Aguinaldos

Es en Los Altos donde parece que se inicia de veras esta peregrinación cada vez más ascendente. Allí compra los billetes para la total y absoluta evasión, presume él. Y cierto que el hombre va despojándose de hábitos y atributos que le impusiera su época, pero también es verdad que el andar cien millas no equivale de manera absoluta a regresar mil años en la Historia, como asegura Juan Loveluck [11], puesto que el entrevero de niveles temporales, que ya hemos señalado en la ciudad hispanoamericana y en Los Altos, continuará fluyendo en el curso de todo el periplo. Por lo demás, el puente entre el presente y el pasado no desaparecerá de modo total.

Ya en la vía, lo primero que empuja al narrador en la escala inversa del tiempo es el pueblito de aire castellano que se recuesta sobre una meseta. Los tejados, la plaza en la que mueren las torcidas calles y el rebuzno de un asno constituyen una nítida estampa que detiene simbólicamente al personaje central en el Toboso. A su memoria acuden los renglones, tan repetidos por tan gustados, que abren el *Quijote:*

> *En un lugar de La Mancha, de cuyo nombre no quiero acordarme, no ha mucho que vivía un hidalgo de los de lanza de astillero, adarga antigua, rocín flaco y galgo corredor...* (p. 87) [el subrayado es del autor].

La evocación, por una parte, lo lleva temporalmente al siglo XVII; por otra, como fueran lecturas aprendidas en el colegio, lo devuelven a la niñez y, por último, el propio personaje pudiera ver en sí mismo la estampa de un Quijote del siglo XX en la búsqueda de la concretización de sus ideales. De todos modos, la asociación con el Toboso y el *Quijote* lo trasciende a los mundos del ingenioso hidalgo. Este vínculo se reafirma con la segunda salida del protagonista de la que retorna derrotado.

Es muy significativo que ya en esta primera jornada del viaje se sume al hombre y a su amante, la seudointelectual y seudo-astróloga Mouche, otra mujer, Rosario,

[11] *Ibíd.*, p. 131.

que resulta ser un resumen de varias culturas: la india, la mediterránea y la negra. Precisamente a través de esta constante observación por parte del personaje principal de aquella presencia humana y de una serie de asociaciones de imágenes es como el hombre se sumerge en el hervidero de culturas que fuera el Mediterráneo europeo, llevándolo a la conclusión de que «esa viajera surgida del páramo y de la niebla no era de sangre más mezclada que las razas que durante siglos se habían mestizado en la cuenca mediterránea» (p. 88). El tiempo corre al revés hasta la época en que, en excursiones sucesivas, navegaban aquellas aguas, mezclándose egipcios, fenicios, cretences, griegos, cartagineses y romanos.

Así que, en el inicio de esta primera jornada, constatamos el regreso del viajero a dos períodos históricos separados por siglos: uno el del pueblito medieval, siglo XVII de acuerdo con el *Quijote;* el otro, a una época que pudiera localizarse en un tiempo anterior al calendario cristiano, lo que muestra, de manera bien patente, que la cronología regresiva no sigue una fluencia lineal; es, por el contrario, una trayectoria que se quiebra en pedazos, conformándose en una corriente temporal zigzagueante que se detiene a trechos para superponer innumerables planos temporales en un mismo espacio-símbolo. Carpentier, ambiciosamente, multiplica hasta el máximo la técnica que iniciara en *Semejante a la noche.*

La misma Rosario, un poco después, conducirá al personaje central a períodos históricos difíciles de precisar, acaso porque ella representa la mujer atemporal,

> ...*vestida fuera de la época, fuera del tiempo,* con aquella intrincada combinación de calados, fruncidos y cintas, en crudo y azul, todo muy limpio y almidonado, tieso como baraja, con algo de costurero romántico y de arca de prestidigitador (p. 89) [el subrayado es nuestro].

Virtualmente, el hombre se encuentra entre un tiempo sin tiempo y su presente: Rosario es lo atemporal, Mouche su presente.

Conviene fijarnos en el hecho que desde la ciudad supertecnificada, en el instante mismo en que comienzan sus vacaciones, el protagonista intenta librarse de la tiranía de las horas: «... pero mi reloj, al que no he dado cuerda anoche (...) para acostumbrarme mejor a la realidad del comienzo de mis vacaciones, se ha parado a las tres y veinte» (p. 22). Pues bien, camino de la selva se hace más palpable la ausencia de un tiempo medido por la tiránica máquina. Aquí el tiempo se mide en dimensiones más amplias —por la mansión del Calofrío, el Valle de las Llamas y las Tierras del Caballo—, hay que añadir, y con las interpolaciones del verdadero «presente» del protagonista.

Precisamente en la «aldea de casas calizas, adosadas a la cordillera» (p. 89), el hombre sin nombre, por el sortilegio de la música, se somete temporalmente al mundo del siglo XX rememorando los días de la segunda guerra mundial, las persecuciones y los campos de concentración a los que identifica con la Mansión del Calofrío,

> ...donde todo era testimonio de torturas, exterminios en masa, cremaciones, entre murallas salpicadas de sangre y de excrementos, montones de huesos, dentaduras humanas arrinconadas a paletadas, sin hablar de las muertes peores, logradas en frío, por manos enguantadas de caucho, en la blancura aséptica, neta, luminosa, de las cámaras de operaciones (p. 100).

Luego será el Valle de las Llamas, las tierras del petróleo, con su población situada allá abajo. La encendida llanura es el espectáculo casi mágico que acompaña al viajero al doblar de cada recodo del camino. Las máquinas que con marcada isocronía hunden sus picos en la tierra «en movimiento de pájaros horadando un tronco» también lo devuelven al Presente del que trata de evadirse.

Sin embargo, la llegada al patio de la población mencionada lo transmuta al pasado. Pareciera que comienza ahora una trabazón cronológica más rigurosa. En efecto, allí el protagonista salta y se acoge temporalmente a la Edad Media entre aquellos hombres que bebían desaforadamente, empuñando el pico de la botella, entre naipes y fichas. La época termina de fijarse con la llegada de las prostitutas errantes, que viajaban de procesiones a romerías, de minas a ferias. El narrador

> ...pensaba que esas prostitutas errantes, que venían a nuestro encuentro, metiéndose en nuestro tiempo, eran primas de las ribaldas del Medioevo, de las que iban de Bremen a Hamburgo, de Amberes a Gante, en tiempos de feria, para sacar malos humores a maestros y aprendices, aliviándose de paso a algún romero de Compostela, por el permiso de besar la venera de tan lejos traída (p. 109).

¿Será necesario insistir que de los campos de concentración y las máquinas de ritmos isócronos (las grúas), símbolos del siglo XX, el hombre ha saltado hacia atrás para colocarse junto a los hombres y las ribaldas en el Medioevo?

Entre aquellos hombres aparece otro de los personajes que se suma a la expedición: el griego Yannes, el buscador de tesoros. Este hombre manipulará de ahora en adelante la palanca de la escala del tiempo para movernos hacia la Grecia primitiva no tan sólo por su nacionalidad y espíritu de aventuras, sino porque representa ser el auténtico buscador del Dorado.

Pero del Valle de las Llamas y su pueblito aledaño, con las ribaldas y Yannes, el viajero se adentra en una llanura donde el tiempo se remansa:

> ...contemplo esta llanura inmensa, cuyos límites se disuelven en un leve oscurecimiento circular del cielo. Desde mi punto de vista de guijarro, de grama, abarco, en su casi totalidad, una circunferencia que es parte cabal, entera, del planeta en que vivo (...) Nada hace ruido, nada topa con nada, nada rueda ni vibra (...) Llevo más de una hora aquí, sin moverme, sabiendo cuán inútil es andar donde siempre se estará al centro de lo contemplado... (pp. 115-116).

Carpentier está constantemente preludiando el porvenir. Ese es uno de los recursos más singulares de su técnica. Esta llanura sin tiempo es, sin duda, una prefiguración del Valle del Tiempo Detenido.

A partir de este lugar, la vía de comunicación será el río. Mas en este espacio símbolo hay también dimensiones temporales, porque aquí el hombre depende del Código de las Lluvias. Ellas son las que indican un tiempo propicio o no a la navegación. Es así como, dentro de un marco atemporal, hay un elemento natural que establece una medida de tiempo: la lluvia. Pero en la propia llanura hay otros indicios que señalan otros estadios; el índice del tiempo se detiene en el período de las exploraciones de los conquistadores en Hispanoamérica con las huellas que dejara cuatro siglos atrás fray Servando de Castillejo: «La añeja prosa sigue válida. Donde el autor castillejo señalaba una piedra con perfil de saurio, erguida en la orilla derecha, he visto la piedra con perfil de saurio» (p. 116). De modo que de lo atemporal, al Código de las Lluvias, al siglo XVI con la prosa de Castillejo.

Con la llegada al próximo pueblo, el hombre cae de

lleno en las Tierras del Caballo. El olor peculiar a sudor de ijares, la cercanía del herrero con su delantal de cuero y las llamas de la fragua son los elementos constitutivos de este estrato temporal que pertenece, en un correr inverso del tiempo, a la Edad Media con la caballería medieval.

Resumamos: en esta primera jornada, el protagonista ha recorrido multitud de planos temporales. Del siglo XVII con el *Quijote* a una época anterior al calendario cristiano con el hervidero de pueblos en el Mediterráneo, a un momento fuera del tiempo con Rosario, al siglo XX con los campos de concentración y las grúas, a la Edad Media con las ribaldas, a la Grecia primitiva con Yannes, a lo atemporal en la inmensa llanura, a un tiempo medido por el Código de las Lluvias, al siglo XVI con Castillejo, para, finalmente, precipitarse de nuevo en el Medioevo con el mundo de la caballería.

En este escenario que brota, el hombre parece recobrar la virilidad perdida y los brazos sus funciones auténticas.

> ...En las Tierras del Caballo parecía que el hombre fuera más hombre. Volvía a ser dueño de técnicas milenarias que ponían sus manos en trato directo con el hierro y el pellejo, le enseñaban las artes de la doma y la monta, desarrollando destrezas físicas de que alardear en días de fiesta, frente a las mujeres admiradas de quien tanto sabía apretar con las piernas, de quien tanto sabía hacer con los brazos (p. 120).

El arribo del protagonista a Santiago de los Aguinaldos finaliza la primera jornada, a la vez que el hombre se adentra aún más en el estrato temporal del Medioevo. En la aldea asiste a una fiesta del Corpus «porque en tarde de Corpus» había llegado a la villa, luego de fundada, la imagen de Santiago Apóstol. El apóstol mencionado serviría por sí solo para darnos el tiempo; la villa puede asociarse a Santiago de Compostela. Pero la estampa de la aldea es una veraz señal de la época. Sus

> ...largas calles, desiertas, de casas deshabitadas, con las puertas podridas, reducidas a las jambas o al cabestrillo, cuyos tejados musgosos se hundían a veces por el mero centro, siguiendo la rotura de una viga maestra, roída por los comejenes, ennegrecida de escarzos. Quedaba la columnata de un soportal cargado con los restos de una cornisa rota por las raíces de una higuera (p. 121).

Es evidente que el viajero se topa con la más viva presencia de la Edad Media. Pero en este tiempo físico coexisten también diversos niveles temporales.

En este ambiente evocador, el narrador monta una escena medieval en que aparecen diablos danzando frente a la humilde iglesia de cara a la catedral incendiada. El personaje central la describe:

> Los danzantes tenían las caras ocultas por paños negros, como los penitentes de cofradías cristianas; avanzaban lentamente, a saltos cortos, detrás de una suerte de jefe y bastonero que hubiera podido oficiar de Belcebú de Misterio de la Pasión, de Tarasca y de Rey de los Locos, por su máscara de demonio con cuernos y hocico de marrano. Una sensación de miedo me demudó ante aquellos hombres sin rostro, como cubiertos por el velo de los parricidas; ante aquellas máscaras, salidas del misterio de los tiempos, para perpetuar la eterna afición del hombre por el Falso Semblante, el disfraz, el fingirse animal, monstruo o espíritu nefando (...) Pero, de súbito, los batientes se abrieron con estrépito y en una nube de incienso apareció el Apostol Santiago, hijo de Zebedeo y Salomé, montado en un caballo blanco que los fieles llevaban en hombros (p. 122).

El plano escénico lleva más de una carga temporal. Por un lado, nos sitúa en la Edad Media; por otro, como acto teatral que parece representarse, nos entronca a los autos sacramentales.

El encuentro, en la propia villa, del viajero y fray Pedro de Henestrosa, el fraile capuchino que se suma al viaje, es el choque con el siglo XVI. El fraile es el sacerdote que acompaña a los conquistadores. Pero el ambiente sigue siendo arcaicamente medieval, subrayado por la presencia de dos punteadores que tienen el empaque de dos juglares. Al preludio de sus bandolas y del canto ancestral, el narrador se ve lanzado más allá de lo que sus solas evocaciones pudieran retrotraerlo.

A este fondo temporal histórico concurre el elemento helénico con la presencia de Yannes, el buscador de diamantes. El griego, en cierto modo, refleja al propio protagonista en la busca de lo ignoto, la Edad de Oro, Manoa o el Dorado.

En Santiago de los Aguinaldos, pues, la corriente temporal se despliega tomando diferentes niveles: por la base temporal en que descansa la villa y la fiesta, estamos en la Edad Media; en el siglo XVII, por la representación del auto sacramental; siglo XVI, dada la presencia del fraile; de nuevo en la Edad Media con los punteadores; por fin, la Grecia primitiva con Yannes y su persecución del Dorado.

Jornada segunda: de Puerto Anunciación a la Aldea de los Griegos

Puerto Anunciación, en los mismos umbrales de la selva, es el próximo hito. La aldea ofrece la misma pluralidad de estadios temporales regresivos que los lugares transitados. Sin embargo, la coordenada espacial, que se yuxtapone a la temporal, nos advierte que vamos acercándonos al corazón de la selva, dejando atrás los caminos, las Tierras del Caballo, para entrar en las Tierras del Perro.

En este escenario, el caballo, animal de ojos puestos en el horizonte limpio no puede cumplir función alguna. Vale así su sustitución por la del perro que, en cambio, con los ojos «a la altura de las rodillas del hombre, veía cuanto se ocultaba al pie de las malangas engañosas, en la oquedad de los troncos caídos, entre las hojas podridas» (p. 126). Más aún, el perro es el compañero por excelencia del hombre cazador y, por demás, «era el único ser que compartía con el hombre los beneficios del fuego» (p. 127). Pareciera como si con el perro y el fuego el narrador nos deslizara inversamente en la corriente del tiempo hasta detenernos en el período Paleolítico. De repente, de acuerdo con la técnica del autor, hemos saltado a la prehistoria del hombre y, como resultado, nos acercamos a su origen.

Pero otro elemento surge para un nuevo salto, esta vez en sentido progresivo: el encuentro con «un hombrecito de cejas enmarañadas», el Adelantado. El apelativo por sí sólo bastaría para indicarnos la época de los conquistadores, siglo XVI. En cambio, la muerte del padre de Rosario, la desesperación de sus hermanas y su madre, es una tragedia en su más genuina representación que mueve al hombre en la escala inversa del tiempo. Ello es que se siente envuelto, «arrastrado, como si todo ello despertara en mí [dice] oscuras remembranzas de ritos funerarios que hubieran observado los hombres que me precedieron en el reino de ese mundo» (p. 136). El hombre se ha sumergido en la Grecia de los clasicismos. Dentro de este escenario mental el índice de la escala sigue restando siglos hasta alcanzar la Grecia primitiva, cuya carga simbólica se refuerza con la presencia de Yannes y el libro que lleva, la *Odisea,* además de las palabras que del propio libro repite. Cabal presencia de Homero, que parece ser el que recitara los versos: «Vete adentro y no se turbe tu ánimo (...) que el hombre, si es audaz, es más afortunado en lo que emprende, aunque haya venido de otra tierra» (p. 137), y prosigue: «... entrando en la sala hallarás primero a la reina, cuyo nombre es Arete y procede de los mismos que engendraron al rey Alcinoo» (pp. 137-138). Palabras que acercan más al narrador y Rosario. He ahí que la muerte del padre tiene un valor simbólico de tragedia griega. Pero Homero y su *Odisea* reafirman la carga simbólica de la Grecia primitiva.

Enlazado a la muerte entra en juego un nuevo elemento para darnos otro nivel temporal. El cementerio a donde acuden para concluir el rito de la muerte es una prolongación de una iglesia chata,

> ...de paredes espesísimas, con grandes volúmenes de piedra acusados por la hondura de las hornacinas y la tozudez de contrafuertes que más parecen espolones de fortaleza. Sus arcos son bajos y toscos; el techo de madera, con vigas al descanso sobre ménsulas apenas artesonadas, *evoca el de las primitivas iglesias románicas* (p. 140) [el subrayado es nuestro].

Es decir, que las superposiciones temporales se mantienen en Puerto Anunciación. De acuerdo con los indicios simbólicos pasamos en saltos sucesivos del período paleolítico, con el fuego y el perro, a la época de los conquistadores con la figura del Adelantado; luego a la Grecia clásica; más adelante a la de Homero con su *Odisea;* para terminar en el período románico, aproximadamente entre los siglos X y XI. Puerto Anunciación es, además, anuncio y antesala de lo ignoto.

Así, pues, en el instante de abordar la barca que los conducirá al mundo desconocido, los personajes que acompañan al personaje central son: el Adelantado, representante de aquellos que realizaron la conquista de un Nuevo Mundo; Yannes, el buscador de diamantes; fray Pedro de Henestrosa, el acompañante del conquistador, que tiene a su cargo la conversión de los infieles; Rosario, la mujer auténtica, símbolo de la tierra y de esa cultura ancestral; por último, Mouche, representación del presente del protagonista, o sea, de lo falso y lo podrido de una civilización supertecnificada y supermaterializada. Por eso es por lo que, en contacto directo con lo auténtico, esta mujer se va ablandando, desmoronando. En realidad las dos mujeres son parte del ser del protagonista. De otro modo, representan dos dimensiones del hombre: ser desarraigado que se mece entre dos mundos. Pero además de ser dos categorías espacio-culturales, son dos categorías temporales: Mouche es el presente; Rosario, lo remoto, lo atemporal. De aquí que a medida que se aproxima a su origen se va desembarazando de Mouche, anublándosele su mundo de allá y su presente, y va reconciliándose con el mundo de acá y sus raíces.

Iniciada la navegación, surge otro nivel temporal al topar con unos monumentos funerarios del neolítico:

> ...De trecho en trecho había amontonamientos basálticos, monolitos casi rectangulares, derribados entre matojos escasos y esparcidos, que parecían las ruinas de templos muy arcaicos, de menhires y dólmenes —restos de una necrópolis perdida, donde todo era silencio e inmovilidad—. Era como si una civilización extraña, de hombres distintos a los conocidos, hubiera florecido allí, dejando, al perderse en la noche de las edades, los vestigios de una arquitectura creada con fines ignorados (pp. 143-144) [el subrayado es nuestro].

No habíamos acabado de salir de aquella iglesia románica cuando el escritor, de súbito, nos sitúa en la prehistoria. Importa destacar el hecho de que a medida que el viaje toca a su fin, la persistencia en los períodos primeros de la historia, con los subsecuentes saltos a la prehistoria, se hacen más frecuentes. Ello es que del románico nos conduce al Neolítico, de acuerdo con el novelista, a unos ciento cincuenta mil años. Edad en que el hombre concibió ideas religiosas concretas sobre las que influyó el fenómeno de la muerte, y acabó erigiendo extraordinarios monumentos que son conocidos con el nombre de megalíticos, entre los cuales descuellan los ya mencionados dólmenes y menhires.

Pero el helenismo no se separa de la trayectoria viática que sigue el protagonista; atenuándose unas veces, cobra otras una más viva presencia. En el poblado de los griegos estamos nuevamente en Grecia, porque el ambiente es integralmente helénico. Las casas de los griegos, aunque construidas con materiales indígenas del lugar, revelan las raíces del hombre. Sólo hacía falta el «empinamiento de los aleros, una mayor anchura de las vigas de sostén, para que el hastial cobrara empaque de frontis y quedara inventado el arquitrabe» (p. 145). Sin embargo, no es solamente la arquitectura la que pone de relieve el ambiente griego, sino que es el mismo paisaje en que se levantan esas estructuras el que acaba de definir el marco de la civilización greco-mediterránea en las rocas que las circundan. Por lo demás, la presencia de los hombres griegos le da vida a ese mundo, pues sus caras reproducen «el mismo perfil de bajorrelieve para un arco de triunfo» (p. 145). El novelista en medio de la selva nos ha emplazado en el centro de un ambiente totalmente helénico.

De manera que desde la salida de Puerto Anunciación hemos viajado en el espacio, pero también en el tiempo.

De la edad de la piedra pulimentada pasamos, a través del túnel del tiempo progresivo, al ambiente griego; pero al mismo tiempo hay una evocación al presente que parece anublársele al protagonista:

> Pensé en el camino que mi esposa seguía cada día. Pero su figura no acabó de dibujarse claramente en mi memoria, deshaciéndose en formas imprecisas, como difuminadas (p. 145).

Un nuevo encuentro y un nuevo estrato temporal. Montsalvaje, el hervorizador acompañante de los conquistadores, le resta siglos a la escala temporal para detenerse en el siglo XVI.

Fijémonos que no nos hemos movido del espacio-símbolo griego al que el escritor ha sumado otros niveles temporales y al que continuará montando otros. En efecto, junto a la presencia del fuego, los hombres hablan. El tema es, acaso, el del oro porque al hombre le apasiona hablar de tesoros y brotan los mitos:

> ...pronto aparece, remoto, teñido de luna, el espejismo del Dorado. Fray Pedro sonríe con sorna. El Adelantado escucha con cazurra máscara, arrojando ramillas a la lumbre. Para el recolector de plantas, el mito sólo es reflejo de una realidad. Donde se buscó la ciudad de Manoa, más arriba, más abajo, en todo lo que abarca su vasta y fantasmal provincia, hay diamantes en los lodos orilleros y oro en el fondo de las aguas (...) Hay lo que Walter Raleigh llamara «la veta madre», madre de las vetas (...) El nombre de aquél a quien los españoles llamaban Serguaterele lleva al Hervorizador, de inmediato, a invocar los testimonios de prodigiosos aventureros (...) Son los Federman, los Belalcázar, los Espira, los Orellana, seguidos de sus capellanes, atabaleros y sacabuches (p. 148).

Es demasiado evidente que la fascinante técnica de Carpentier tiene la magia de transportar al protagonista ahora mediante la palabra, desde ese trasfondo helénico que es tierra de mitos, a la época de los prodigiosos aventureros que buscaban la ciudad de Manoa. El salto se produce hacia adelante. Ambiente, hombres y palabras se cruzan y entrecruzan en el tiempo. Prosigue la narración del Hervorizador:

> ...son los alemanes rubios y de barbas rizadas y los extremeños enjutos de barbas de chivos, envueltos en el vuelo de sus estandartes, cabalgando corceles que, como los de Gonzalo Pizarro, calzaron herraduras de oro macizo (...) Y es sobre todo Felipe de Hutten, el Urre de los castellanos, quien, una tarde memorable, desde lo alto de un cerro, contempló alucinado la gran ciudad de Manoa y sus portentosos alcázares, mudo de estupor en medio de sus hombres (pp. 148-149).

El verbo del Hervorizador, repetimos, ha servido para disparar la imaginación de nuestro protagonista recorriendo en una travesía de siglos que se suman, puesto que estábamos en la Grecia primitiva, los mitos, luego la gama de los conquistadores. Para subrayar el cambio temporal hay un gesto del Adelantado. Se aproxima a un objeto situado cerca del fuego, lo levanta, y es un hacha,

> ...una segur de forja castellana, con un astil de olivo que había ennegrecido sin desembarazarse del metal. En esa madera se estampaba una fecha escrita a punta de cuchillo por algún campesino soldado *—fecha que era de tiempos de los Conquistadores* (p. 149) [el subrayado es nuestro].

A la palabra del Hervorizador se une la figura concreta de un testigo irrefutable, el hacha castellana con una fecha exacta en el tiempo: los conquistadores de un Nuevo Mundo. A la luz del fuego, aquellos hombres en un barajar de siglos que se suman y restan, se plantean mitos, tales el del Dorado, la existencia de las Amazonas, el pueblo caribe y su destrucción cuando un día puso rumbo hacia una nueva tierra de promisión: el Imperio del Maíz. Si el mito del Dorado nos remonta en la escala del tiempo a la Grecia antigua, los otros nos colocan en los umbrales de la historia de América, cuando todavía no se medía el tiempo por el calendario cristiano: es la época de la historia precolombina.

Para aquellos lectores que se sorprendieron con el trastrueque del tiempo en *Semejante a la noche,* este barajar de planos temporales tomando como cimientos al propio hombre, ambiente, usos, ritos, costumbres, elementos arquitectónicos, música y verbo, debe parecerles de maravillas.

Es en esta etapa de la ruta cuando se produce la total y absoluta desintegración de Mouche, la pareja original del protagonista, tanto en el aspecto físico como en el moral; por eso es cada vez más reemplazada por Rosario, cuyos rasgos, en cambio, cobran relieve. La exposición de Mouche a la simple, pero a la vez dura naturaleza, termina por desenmascararla.

> Mouche, aquí, era un personaje absurdo (...) Su tiempo, su época, eran otros. Para los que con nosotros convivían ahora [dice el protagonista], la fidelidad al varón, el respeto a los padres, la rectitud de proceder, la palabra dada, el honor que obligaba y las obligaciones que honraban, eran valores constantes, eternos, insoslayables (p.155),

que ella no podía cumplir por ignorarlos. Mouche es el símbolo exacto de su tiempo: el siglo XX, el presente del hombre que continúa borrándosele. Ella podía vivir espléndidamente en el mundo de las medianías, de lo raigalmente falso, pero no resistía el empuje de lo portentosamente auténtico que adelgaza y aniquila.

Ciertamente que el personaje central a medida que se hunde en las entrañas del continente americano más prendas inauténticas deja atrás. El antifaz, símbolo de la máscara, había sido la primera; desde entonces había seguido un persistente desentenderse de hábitos y gestos, en una palabra, de formas de vida, hasta llegar a aligerarse casi completamente con el retorno de Mouche. Limpio, pues, de la última y más pesada de las lacras del mundo de allá, parecería que el hombre se arraiga cada vez más al mundo de acá, en el recobrar de su propia virilidad, en una entrega total con Rosario. Sin embargo, envuelta en ese intento de totalización hay una evocación a su infancia, por consiguiente, a su presente:

> ...así —casi así— olía la cesta de los viajes mágicos, aquélla en que yo estrechaba a María del Carmen, cuando éramos niños, junto a los canteros donde su padre sembraba la albahaca y la yerbabuena (p. 157).

Nos parece interesante señalar que el escritor prevé en América una tierra de cruces de pueblos nuevos y pujantes, el mundo pródigo del futuro, frente al corrompido y carcomido mundo occidental. Exacta interpretación de esta tesis es la respuesta del griego a la inquisitoria del protagonista, que busca la razón que ha tenido el primero para abandonar su mundo:

> ...el minero suspira, y hace del mundo mediterráneo un paisaje de ruinas. Habla de lo que dejó atrás, como podía hablar de las murallas de Micenas, de las tumbas vacías, de los peristilos habitados por las cabras. El mar

> sin peces, los múrices inútiles, la confusión de los mitos y una gran esperanza rota (...) Me cuenta [dice el personaje central] que cuando divisó la primera montaña, de este lado del océano, se echó a llorar, pues era una montaña roja y dura, parecida a sus duras montañas de cardos y abrojos (p. 160).

Presenta Carpentier un mundo que emerge duro y fuerte, porque es América asiento de pueblos venidos de la propia Grecia, de Africa, de la meseta castellana, que en integración entera con el indio y el medio, jugarán, en la historia futura de la humanidad, el mismo papel que otrora le tocara representar a los pueblos mediterráneos y asiáticos. De ahí que el griego Yannes con su *Odisea* esté ahora de esta parte del océano; es que el propio hombre innominado es un nuevo Ulises que quiere cumplir en estas tierras del Mediterráneo caribe la epopeya grandiosa que el discreto merinero llevara a cabo en el Mediterráneo europeo.

Es bueno no olvidar que todas estas superposiciones de tiempo se han producido en un marco espacial en el que subyace lo greco-mediterráneo que no se ha desvanecido. Brota de nuevo con el júbilo de los cazadores ante el deleite de la carne. Una danta ha caído en sus manos y

> ...es, luego, la fiesta de encender la hoguera; la escaldadura de la bestia y su descuartizamiento; (...) Con el torso desnudo, puesta toda su seriedad en la tarea, el minero se me hace, de pronto, tremendamente arcaico. Su gesto de arrojar al fuego algunas cerdas de la cabeza del animal tiene su sentido propiciatorio que tal vez pudiera explicarme [dice el hombre] una estrofa de la *Odisea*. El modo de ensartar las carnes, luego de untarlas de grasa; el modo de servirlas en una tabla, luego de rociarlas de aguardiente, responde a tan viejas tra-

> diciones mediterráneas que, cuando me es ofrecido el mejor filete, *veo a Yannes, por un segundo, transfigurado en el porquerizo Eumeo* (p. 161) [el subrayado es nuestro].

Así termina de fijarse la identificación del personaje central con Ulises. Y el índice de la escala temporal sigue detenido en la Grecia primitiva.

Con la partida del protagonista, Rosario y el Adelantado en una canoa, y Yannes y fray Pedro en otra, con rumbo a lo desconocido, concluye el tercer capítulo y la segunda jornada.

Resumamos: desde Puerto Anunciación hemos atravesado el mundo neolítico de los dólmenes y menhires; luego, en una adición de centurias nos establecemos en el mundo griego primitivo, donde hay una evocación al presente. Retrocedemos con Montsalvaje al mundo de la conquista de América; restamos siglos para detenernos nuevamente en la tierra de los mitos mediante la palabra, Grecia; pero saltamos a los mitos de América y otra vez caemos en el siglo XVI, la época de los prodigiosos aventureros y la segur; el mito de la migración caribe y la tierra de promisión nos coloca en la prehistoria de América. Con Mouche retornamos al presente; con Rosario, al mundo remoto; finalmente, la danta y Yannes nos devuelven al mundo de la *Odisea*.

Jornada tercera: la entrada a lo desconocido hasta la aldea de los indios primitivos

En la canoa el personaje central se contempla a sí mismo y no puede menos que pensar que

> ...somos conquistadores que vamos en busca del Reino de Manoa. Fray Pedro es nuestro capellán, al que pediremos confesión si quedamos malheridos en la entrada.

> El Adelantado bien puede ser Felipe de Utre. El griego es Micer Codro, el astrólogo. Gavilán (el perro del Adelantado) pasa a ser Leoncico, el perro de Balboa. Y yo me otorgo, en la empresa, los cargos de trompeta de San Pedro... (p. 165).

De aquella Grecia primitiva, en una virtual suma de siglos, entramos en el tiempo de la conquista, siglo XVI, pero el cargo que se otorga el protagonista insinúa la entrada en un Reino desconocido.

Salvada la puerta de lo Desconocido, del mundo del tiempo detenido, vienen las pruebas. El hombre en su aventura las ha ido venciendo todas, pero éstas serán las finales, las de mayor calibre. La primera es la de los ruidos de la selva, tras de la cual es el descanso. A la mañana siguiente el hombre se adentra en el infierno verde, un remedo del mundo de allá. Es que, como allá, aquí se encontraba en un mundo de infinito mimetismo, de horrenda falsedad, en el que la mentira y la trampa juegan un papel preponderante: «Aquí todo parecía otra cosa, creándose un mundo de apariencias que ocultaba la realidad, poniendo verdades en entredicho» (p. 172). Como en la ciudad moderna, todo parece estar podrido. Los caimanes, que de acuerdo con una expresión muy cubana bien pudieran remedar los hombres, parecían troncos podridos con las fauces abiertas dispuestas a devorar lo que cayera en ellas: las flores se escondían bajo hojas decrépitas y las cortezas caídas parecían laurel en salmuera. Espectáculo que nos devuelve, en este viajar incesante, a la selva de cemento donde todo es simulación y engaño, o sea, al siglo XX. Observemos que esta yuxtaposición de la ciudad moderna a la selva nos indica que el desprendimiento por parte del protagonista del mundo civilizado no ha sido total.

Después de la segunda prueba, la tormenta, el hombre se detiene en la aldea de los indios primitivos, desde donde descubre la Capital de las Formas,

> ...una increíble catedral gótica; de una milla de alto, con sus dos torres, su nave, su ábside y sus arbotantes, montada sobre un peñón cónico hecho de una materia extraña (...) Los campanarios eran barridos por nieblas espesas que se atorbellinaban al ser rotas por los filos del granito. En las proporciones de esas Formas rematadas por vertiginosas terrazas, flanqueadas con tuberías de órgano, había algo tan fuera de lo real —morada de dioses, tronos y graderíos destinados a la celebración de algún Juicio Final— que el ánimo, pasmado, no buscaba la menor interpretación de aquella desconcertante arquitectura telúrica... (p. 179).

Es preciso destacar que el personaje central se encuentra ahora entre dos mundos: el de aquellas formaciones telúricas «que parecían estar ahí para defender la entrada de algún reino prohibido al hombre» (p. 179), tal vez, el Reino de los Cielos: la Eternidad; y el otro, el que está a su propio nivel, el de los indios con sus chozas junto al río y sus ensartas de pescados. El uno parece restar cifras al tiempo para llegar a sus propios confines; el otro es la frontera temporal del mundo precolombino y la conquista, al que el protagonista no entrará hasta que baja los ojos y ve a

> ...Rosario, rodeada de ancianas que machacaban tubérculos lechosos, [que] lavaba ropas mías [dice]. En su manera de arrodillarse junto al agua, con el pelo suelto y el hueso de restregar en la mano, recobraba una silueta ancestral que la ponía mucho más cerca de las mujeres de aquí que de las que hubieran contribuido con su sangre, en generaciones pasadas, a aclarar su tez. Comprendí por qué la que era ahora mi amante me había dado

> una tal impresión de *raza* el día que la viera regresar de la muerte a la orilla de un alto camino (pp. 179-180).

De modo que los niveles temporales continúan superponiéndose: la eternidad, revelada por la Capital de las Formas; el mundo precolombino, subrayado por la visión del poblado indio. Es precisamente en esta aldea de indios de cultura primitiva donde el viajero encuentra los instrumentos musicales, pretexto de su evasión. Allí en la tierra colocó el Adelantado la colección de instrumentos cuya búsqueda le fuera encomendada quince días antes.

Parecería que hemos llegado, en esta marcha temporal en zigzag del narrador, al fin de la peregrinación. Parecería que este viajar incesante por inextricables rutas históricas en un presente, que es el suyo, al que se superponen pretéritos y futuros de esos pretéritos, concluye. Mas no es así. Es necesario recordar que el hombre ha encontrado en esta evasión no sólo la ligereza de haberse desligado de la civilización, sino que ha alcanzado lo que se muestra a todas luces como su objetivo, la mujer que representa «La Diosa», «La Tierra», y, por último, la mujer simplemente, ya que ella «es toda una mujer, sin ser más que una mujer» (p. 207). No es, pues, el encuentro de los instrumentos lo que ha de fijar el término de la aventura. El viajero, aquí, en este rincón del continente sudamericano, sustraído a los horrores de la época, asistirá a la revelación de otros mundos que hasta entonces conociera sólo a través del «barniz de las pinacotecas» (p. 185).

En efecto, aquel mundo de los conquistadores, no por tan repetido en sus encuentros menos maravilloso, se hace más patente aquí. Recuérdese que el protagonista ha llegado hasta esta aldea de indios primitivos luego de pasar la segunda prueba. Así, pues, fray Pedro de Henestrosa, ante el asombro del personaje central, después de hundir en la tierra la negra cruz de madera procede a sacar de su maletín los elementos propios de la misa, el cáliz y la hostia, colocándolos sobre la piedra de ara. Y comienza el rito sagrado. Ante el espectáculo de la misa pronunciada en acción de gracias, el personaje central no puede dudar que se encuentra de lleno en el mundo del siglo XVI, entre los gloriosos conquistadores, porque «ninguna diferencia hay entre esta misa y las misas que escucharon los conquistadores del Dorado» (p. 183). De pronto, el almanaque ha retrocedido cuatrocientos años. Todo concurre para precisar esa edad histórica: Yannes y el Adelantado son los soldados del rey recién inscritos en la Casa de Contratación; fray Pedro de Henestrosa, el símbolo de la Cruz acompañando a la espada; además, allí, a su alrededor, estaban los indios con la manifiesta evidencia de que desconocían los más elementales detalles de la cultura occidental.

Carpentier, sin embargo, tiene su propia y originalísima teoría sobre las instituciones que trajeran a América los conquistadores. Si es verdad, parece decir, que cronológicamente la conquista pertenece al siglo XVI, no es menos cierto que las instituciones culturales y políticas que estos soldados del rey volcaron sobre América, conciernen más al Medievo que al Renacimiento (p. 184). No fueron las iglesias de estilo clásico las que se levantaron en América, sino las románicas, y fue también la cruz románica la elegida para venir a este Nuevo Mundo. Por demás los modos de vida tampoco coincidían con su siglo. De manera que el rito prodigioso de la misa y el plano temporal en que descansa el ambiente imponen al hombre que se encuentra dentro del marco temporal del Medievo,

> ...desde la tarde del Corpus en Santiago de los Aguinaldos, vivo en la temprana Edad Media. Puede perte-

> necer a otro calendario un objeto, una prenda de vestir, un remedio. Pero el ritmo de vida, los modos de navegación, el candil y la olla, el alargamiento de las horas, las funciones trascendentales del Caballo y del Perro, el modo de reverenciar a los Santos, son medievales —medievales como las prostitutas que viajan de parroquia a parroquia en días de feria (p. 184).

Insistamos en que este narrador, que dice haber vivido inmerso en días y noches del Medievo desde Santiago de los Aguinaldos, se ha visto transportado simbólicamente desde esa aldea y ese período histórico a otros estadios históricos y prehistóricos a medida que ha ido avanzando espacial y temporalmente en sus laberínticos pasos.

Pero ahora, para el hombre, los años se anulan más de prisa, el tiempo refluye atropelladamente hasta alcanzar el año cero. Hemos salvado las fronteras del calendario cristiano; por otro lado, estamos en el umbral de la prehistoria. Hay evidencias de que hemos tropezado con el hombre del Neolítico, con sus aldeas a orillas de los ríos y su rudimentaria agricultura. En fuga atroz de centurias que se sustraen alcanzamos el Paleolítico, edad en que el hombre vivió familiarizándose con los animales «y lloró a sus muertos haciendo bramar un ánfora de barro» (p. 185). En el vértigo del tiempo que se resta, el personaje central tiene la sensación de ser un extraño en esa aldea, que es al mismo tiempo la villa de la conquista, la aldea neolítica, y después la paleolítica. La noción de la hora ya no existe en un tiempo que fluye a la inversa desintegrando estadios culturales hasta verterse en un pasado inconcebible. Al día siguiente, en un lugar cercano a la aldea, el protagonista tiene la visión directa de la ruda figura de los primeros seres semejantes a él que habitaron la superficie de la tierra. Dice:

> ...esos individuos con piernas y brazos que veo ahora, tan semejantes a mí; esas mujeres cuyos senos son ubres fláccidas que cuelgan sobre vientres hinchados; esos niños que se estiran y ovillan con gestos felinos; esas gentes que aún no han cobrado el pudor primordial de ocultar los órganos de la generación, que *están desnudas sin saberlo,* como Adán y Eva antes del pecado, son hombres, sin embargo. No han pensado todavía en valerse de la energía de la semilla; no se han asentado ni se imaginan el acto de sembrar; andan delante de sí, sin rumbo, comiendo corazones de palmeras que van a disputar a los simios (...) devoran larvas de avispa, triscan hormigas y liendres, escarban la tierra y tragan los gusanos y las lombrices que les caen bajo las uñas (...) *Apenas* si conocen los recursos del fuego... (p. 188) [el último subrayado es nuestro].

Al acercarse a ellos el viajero en el tiempo advierte más nítidamente los rasgos físicos de aquellos seres que

> ...son como dos fetos vivientes, con barbas blancas, en cuyas bocas belfudas gimotea algo semejante al vagido de un recién nacido; enanos arrugados, de vientres enormes, cubiertos de venas azules con figuras de planchas anatómicas, que sonríen estúpidamente, con algo temeroso y servil en la mirada, metiéndose los dedos entre los colmillos (p. 189).

El tiempo se ha revertido, posiblemente, hasta la era cuaternaria, aproximadamente, a unos ciento ochenta mil años de nosotros, para acercarnos, en concordancia con los conocimientos científicos, a la aparición del hombre sobre la superficie terrestre. En cambio, de acuerdo con la Historia Sagrada, el retroceso culmina el sexto día del Génesis en que Dios creó al hombre. Ello es, que incluso fuera de la corriente histórica Carpentier continúa montando, unos encima de otros, planos temporales.

Curiosamente, junto a estos seres que representan «los confines de la vida humana está la jarra sin asas»,

> ...con dos hoyos abiertos lado a lado, en el borde superior, y un ombligo dibujado en la parte convexa con la presión de un dedo apoyado en la materia, cuando aún estuviese blanda. Esto es Dios. Más que Dios: es la madre de Dios. Es la Madre, Primordial de todas las religiones. El principio hembra, genésico, matriz, situado en el secreto prólogo de todas las teogonías (pp. 189-190).

Es allí donde se encuentra también, por segunda vez en su marcha, de frente con la muerte. El cadáver de un cazador yace en un revoltijo de hojas. La muerte data de varias horas, empero un hechicero acude a rescatar el cuerpo a su presa. Comienza el rito con una calabaza llena de arena y en medio del silencio brota la palabra,

> ...una palabra que imita la voz de quien dice, y también la que se atribuye al espíritu que posee el cadáver. Una sale de la garganta del ensalmador; la otra, de su vientre. Una es grave y confusa como un subterráneo hervor de lava; la otra, de timbre mediano, es colérica y destemplada. Se alternan. Se responden (...) Hay como portamentos guturales, prolongados en aullidos; sílabas que, de pronto, se repiten mucho, llegando a crear un ritmo; hay trinos de súbito cortados por cuatro notas que son el embrión de una melodía (pp. 190-191).

Así describe Carpentier el origen de la música. Es decir, el treno.

Conviene recordar que aún estamos en la aldea de los indios primitivos desde donde el narrador contemplara la Capital de las Formas. Allí el fluir inverso del tiempo cobra una magnitud sorprendente. Al viajero no le basta con asomarse a la contemplación de una aldea de la conquista, a la que superpone un mundo neolítico y otro paleolítico; no le basta, repetimos, con descubrir los límites de la vida del hombre sobre la corteza terrestre, adivinar el origen de la música, su profesión, pretexto que le ha traído a esta noche de las edades; quiere ir más lejos y arrancarle el secreto del origen de su habitat, a esas formas telúricas, sin duda, «los monumentos primeros que se alzaron sobre la corteza terrestre, cuando aún no hubiera ojos que pudieran contemplarlos» (p. 192).

Es el mundo que antecedió al hombre. Sepultados debajo de esas montañas y mesetas de formas que escapan a la imaginación, de los ríos que se arrojan desde las alturas para caer entre cuestas de árboles petrificados, han quedado,

> ...los saurios monstruosos, las anacondas, los peces con tetas, los laulaus cabezones, los escualos de agua dulce, los gimnotos y lepidosirenas, que todavía cargan su estampa de animales prehistóricos... (p. 193).

Hemos llegado en el refluir del tiempo hasta los límites de la formación del habitat del hombre. Observemos cómo el escritor persiste en derivar toda recreación estética de la historia, ora sea la del Hombre, ora la de su plataforma. De acuerdo, pues, con los estudios científicos hemos retrocedido miles de millones de años, más allá de cuya cada vez más inmensurable cifra parece dilatarse una tremenda eternidad. Pero hay también una cronología judeo-cristiana para la formación de esas formas que el propio narrador señala. Para él,

> ...acaban de apartarse las aguas, aparecida es la Seca, hecha es la yerba verde y, por vez primera, se prueban las lumbreras que habrán de señorear en el día y en la

> noche. Estamos en el mundo del Génesis, al fin del Cuarto Día de la Creación. Si retrocediéramos un poco más, llegaríamos adonde comenzara la terrible soledad del Creador... (p. 193).

Lo peculiar de Carpentier es que no sólo entreteje períodos históricos alejados en el tiempo, sino que en los límites de éste se continúan multiplicando los laberintos históricos, científicos y bíblicos, por los que circula la fantasía del novelista. Al concluir el cuarto capítulo, hemos volteado el tiempo hasta períodos difíciles de discernir, de acuerdo con los conocimientos científicos, para llegar al instante de la creación de nuestro planeta; en conformidad con la Biblia, hasta el tercer día del Génesis (1: 9-13). Para la creación del hombre, hasta el período cuaternario, según la ciencia; el sexto día del Génesis (1: 24-31), en concordancia con la Biblia.

EL MUNDO DE SANTA MONICA DE LOS VENADOS: LA ETERNIDAD

En este capítulo, el viajero penetra en el centro del mundo maravilloso, culminación de su periplo. El punto focal corresponde a Santa Mónica de los Venados, la aldea fundada por el Adelantado.

Si la confluencia de estadios temporales es visible a través de cada uno de los pasos dados por el hombre en su trayectoria, en Santa Mónica de los Venados y sus alrededores, llega más allá de toda ponderación, tal es la carga simbólica de este escenario. La aldea, que parece estar colocada en el centro del Valle del Tiempo Detenido, que a su vez parece localizarse entre la Capital de las Formas y el Cerro de los Petroglifos, abarca un espacio de unos doscientos metros. En ella hay una decena de chozas indias, una casa grande y dos más pequeñas «situadas a ambos lados de una suerte de almacén o establo» (p. 198). Sin percatarse de la turbación del hombre que venido de otro mundo espera encontrar otra cosa, el Adelantado, con la voz velada por su orgullo de fundador, le señala lo que ya la vista le ha mostrado:

> ...«esta es la Plaza Mayor (...) Esa, la Casa de Gobierno (...) Allí vive mi hijo Marcos (...) Allá, mis tres hijas (...) En la nave tenemos granos y enseres, y algunas bestias (...) Detrás, el barrio de los indios...» Y añade, volviéndose hacia fray Pedro: «Frente a la Casa de Gobierno levantaremos la Catedral» (pp. 198-199).

No hubiera sido preciso que ante la palabra de asombro del personaje central, ante el espectáculo inesperado que le ofreciera la aldea, fray Pedro aclarase que «así eran en sus primeros años las ciudades que fundaron Francisco Pizarro, Diego de Losada o Pedro de Mendoza» (p. 199), porque todo confluye para identificarla como tal. La historia, pues, se nos viene encima. El tiempo, dado el plano simbólico, corresponde al siglo XVI. Pero lo sorprendente es que la aldea, que puede ser uno de aquellos conatos de villa fundada en los primeros tiempos de la colonización, adquiere una nueva dimensión temporal para el viajero avasallado por el vértigo del tiempo. Ante las nuevas del Adelantado sobre la Catedral, surge en él la imagen de la primera ciudad levantada por el hombre sobre la tierra: la ciudad de Henoch que virtualmente coloca al protagonista en el mundo del Génesis. Con acierto pone de relieve Carlos Santander T. que hay otros elementos simbólicos que sitúan al protagonista en ese mundo del Génesis. Por ejemplo:

> ...una de las figuras más representativas es la del Adelantado, fundador de la ciudad. El nombre Mónica está puesto en homenaje a la madre del fundador y hace recordar a la madre de San Agustín, «mujer de un solo varón, y que por sí misma había criado a sus hijos». El Adelantado se llama Pablo, tal como el Apóstol de la Revelación, en el Camino de Damasco. La ciudad es como la primera ciudad bíblica, Henoch, y el personaje central se autoasocia con Jubal, «padre de cuantos tocan la cítara y la flauta» (Génesis, 4-21). Fray Pedro es San Juan Bautista [12].

Como se ha dicho ya al final de la última jornada, no es ésta la primera vez que en el fluir inverso del tiempo el viajero vive en los albores de la historia bíblica. El capítulo IV termina coincidentalmente en el cuarto día del Génesis. Y si señaláramos que en aquel momento el hombre sin nombre es espectador de las lumbreras que habrían de señorear en el día y la noche, su refluir habría de conducirnos al Génesis (1-3) y, más allá, hasta encontrar el mundo envuelto en tinieblas, «adonde comenzara la terrible soledad del Creador» (p. 193). En una palabra: la eternidad. Es así, pues, que el personaje central se mece ya desde el final del capítulo IV, entre lo temporal y lo atemporal.

Pero a estas señales se suman otras que ambientan de manera más cabal el mundo bíblico: «Aquí es donde nos bañamos desnudos, los de la Pareja, en agua que bulle y corre» (p. 205). El escenario queda transformado, de repente, en el Paraíso Terrenal; el protagonista y Rosario, en Adán y Eva. En el Cerro de los Petroglifos, fray Pedro y el personaje central se encuentran en el Monte Ararat,

---

[12] Santander T., «Lo maravilloso...», p. 138.

> ...estamos aquí en el Monte Ararat de este vasto mundo. Estamos donde llegó el Arca y encalló con sordo embate, cuando las aguas comenzaron a retirarse y hubo regresado la rata con una mazorca de maíz entre las patas (p. 212).

Allí hay vestigios del Diluvio en figuras de insectos y animales, «figuraciones de lunas, soles y estrellas, que *alguien* ha cavado ahí, con ciclópeo pincel, mediante un proceso que no acertamos a explicarnos» (p. 212); la vegetación que vive en eterna primavera es «la vegetación diabólica que rodeaba el Paraíso Terrenal antes de la Culpa» (p. 213). Además, el propio hombre vive los días y noches del Diluvio. Llueve durante ocho semanas. Y Nicasio, el leproso, es el representante del Levítico.

Esta convergencia de elementos reafirma la potencialidad simbólico-bíblica del valle donde se asienta Santa Mónica de los Venados y parte del Cerro de los Petroglifos. Es en este cerro, precisamente al otro lado de donde se hallan los signos del Diluvio, donde el viajero tiene la oportunidad de asomarse al caldero demoníaco:

> ...inclinado sobre el caldero demoníaco, me siento invadido por el vértigo de los abismos: sé que si me dejara fascinar por lo que aquí veo, el mundo de lo prenatal, de lo que existía cuando no había ojos, acabaría por arrojarme, por hundirme, en ese tremendo espesor de hojas que desaparecerán del planeta, un día, sin haber sido nombradas... (p. 213).

Es decir, que el narrador nos ofrece la visión del tiempo detenido desde el plano infernal. Es por ello por lo que si recordáramos las sensaciones que de modo semejante este viajero perenne de *Los pasos perdidos* experimentara en la Capital de las Formas, llegaremos a la conclusión de que Carpentier nos propone dos perspectivas del tiempo detenido: la infernal del caldero demoníaco y la del Reino de los Cielos, que coincide con la Capital de las Formas, a las cuales habría que agregar la concepción paradisíaca del Valle que abarca Santa Mónica de los Venados. En los tres escenarios, el hombre tiene la impresión de estar colocado en el centro o en la aurora de la misma Eternidad.

No pretendemos agotar la simbología bíblica que el novelista nos prodiga en la culminación de su viaje; sin embargo, no queremos dejar de mencionar la categoría de demiurgo que parece asumir el Adelantado. El es el hombre que ha abandonado la búsqueda de Manoa por la *tierra,* que ha tomado para él una significación más profunda. Ha fundado una ciudad en medio de una naturaleza bravía, donde los hombres padecerán azotes y enfermedades, días soleados y lluviosos,

> ...aquí [dice], las plagas, los padecimientos posibles, los peligros naturales, son aceptados de antemano: forman parte de un Orden que tiene sus rigores. *La Creación* no es algo divertido y todos lo admiten por instinto, aceptando el papel asignado a cada cual en la vasta tragedia de lo creado (p. 203) [el subrayado es nuestro].

Hemos tratado de explicitar la simbología bíblica de Santa Mónica de los Venados y sus alrededores, mas el autor le otorga a la aldea una nueva carga simbólica, esta vez, fuera de la Biblia. La ciudad de Henoch adquiere un nuevo nivel temporal, es una aldea neolítica separada del presente por ciento cincuenta mil años. El Adelantado es el «Capitán de Indios» que los protege del peligro de los blancos empuñando el arco. Estamos situados de nuevo en el campo de la prehistoria, con una aldea que pertenece tanto a la prehistoria universal como a la hispanoamericana, dada la carga simbólica del Adelantado. Pero en una adición de siglos que corren velozmente, el Capitán de Indios

> ...se hace bardo, y de su boca recoge el misionero jirones del cantar de gesta, de la saga, del poema épico, que vive oscuramente —anterior a su expresión escrita— en la memoria de los Notables de la Selva (p. 218).

La aldea neolítica ha entrado en el período medieval. Ahora bien, lo que cuentan esos poemas épicos «es una historia de una migración caribe, en marcha hacia el Norte, que lo arrasa todo a su paso y jalona de prodigios su marcha victoriosa» (p. 218). Se termina de fijar la fecha. El héroe comparte también las vivencias de la prehistoria americana.

En suma, desde el plano histórico, Santa Mónica de los Venados es la villa fundada por los conquistadores, siglo XVI, y la aldea medieval de los cantares de gesta, siglos X-XII. Desde el estrato prehistórico comporta las imágenes de una aldea india precolombina —posiblemente con una dimensión temporal que corresponde al siglo XV, porque fueron los descubridores de América los que hicieron abortar la marcha prodigiosa de los caribes— y las características propias de una aldea del Neolítico.

Nuestro hombre, en ese escenario, uno y todos a la vez, parece haberse desasido del lastre de nuestra época, del presente. Vive entregado a oficios útiles que le proporcionan el goce de una vida física plena de quietud y sosiego. Decide así renunciar al mundo de los oficios de tinieblas, donde, entre otras cosas, tenía que prostituir «la música en menesteres de pregonero» (p. 206). De hecho, hemos alcanzado el punto climático de la novela.

En ese tiempo sin tiempo y a través de Rosario, la

diosa, es cuando debe ocurrir el instante maravilloso de copulación fecunda con lo suyo, del mismo modo que el encuentro de sí mismo. Inmerso en ese goce insondable que le produce el ambiente, el protagonista se recuesta en una laja al mismo tiempo que mira a Rosario, que, próxima a él, hace el aseo de sus cabellos al modo ancestral. Toma la *Odisea* que el griego le dejara al separarse de ellos y, de modo accidental, el libro se abre; el personaje tropieza incidentalmente también con un párrafo que le hace sonreír, acaso irónicamente, «aquel en que se habla de los hombres que Ulises despacha al país de los lotógagos y que, al probar la fruta que allí se daba, se olvidan de regresar a la patria» (p. 207). Lo maravilloso se deshace. Santa Mónica de los Venados se ha transformado en el país de los lotógagos y el héroe en uno de los compañeros de Ulises. El escape de una época, buscado con premura, y el encuentro de la propia identidad no se logran íntegramente. La *Odisea,* en las manos del personaje central, resulta ser el cordón umbilical que lo une al presente no sólo por el hecho de que es el texto que le sirve para comenzar su Treno truncado —símbolo de sí mismo—, sino porque el libro no pertenece ahora a ese mundo de cultura primitiva. Sólo un intelectual del calibre del protagonista puede hacer uso pleno de la obra que Rosario consideraba una Historia Sagrada.

Pero el hombre que ha llegado a prescindir de todo lo que le era de urgente necesidad en el mundo civilizado no puede apabullar su inquieta intelectualidad. «Hay mañanas en que quisiera ser naturalista, geólogo, etnógrafo, botánico, historiador, para comprenderlo todo, anotarlo todo, explicar en lo posible», dice (p. 218). He ahí que precisamente esa ligereza y lucidez obtenidas en un medio de hábitos simples, de mitos y tradiciones ancestrales cuyos significados se conocen a plenitud, le hacen más urgente la creación artística. Y es la música, puerta de escape del protagonista, la que, irónicamente, lo devolverá a su presente. Necesita escribir, ordenar una cantata que lleva en sí; es el Treno: «canto mágico destinado a hacer volver a un muerto a la vida» (p. 225), cuya semilla llevaba consigo y fuera abonada la noche del Paleolítico, cuando el ensalmador tratara de robarle una vida a la muerte: la contemplación del rito le hizo pensar en la posibilidad del encuentro de su autenticidad.

El musicólogo empieza la copia de la cantata en los «cuadernos de... Pertenecientes a...» que sirvieron al Adelantado para asentar los acuerdos tomados en Cabildo abierto. Pero no es suficiente el modesto papel que se agota rápidamente. Requiere más. El músico, en dilataciones de tiempo, borra y enmienda hasta que un ruido de motores rompe lo que pareció en un instante una maravillosa solidificación de tiempo y espacio. El avión lo devuelve al mundo del *Apocalipsis*. El Treno quedó trunco, tan trunco como la evasión del hombre.

EL RETORNO A LA CIUDAD SUPERTECNIFICADA: EL PRESENTE

De nuevo, pues, tenemos al personaje central en la ciudad moderna:

> ...A mi regreso [dice] encuentro la ciudad cubierta de ruinas, más ruidas que las ruinas tenidas por tales. En todas partes veo columnas enfermas y edificios agonizantes (...) De los caminos de ese cemento salen, extenuados, hombres y mujeres que vendieron un día más de su tiempo a las empresas (...) Vivieron un día más sin vivirlo y repondrán fuerzas, ahora, para vivir mañana un día que tampoco será vivido... (p. 261).

Así tenía que ser. Si antes de su viaje este tiempo y espacio se le hacían insoportables, ahora que el hombre regresa de lo maravilloso, que ha recorrido en una marcha incesante una pluralidad de escalones tempo-espaciales ampliando su horizonte, desintegrando el tiempo, claro está que este mundo civilizado le tiene que resultar cargante y podrido. La simulación del hombre. su contemporáneo, le parece más palpable, bastante más evidente su superficialidad, del mismo modo que la de la sociedad de que es parte integral. Adivina, además, en la multitud de las calles destinos sometidos.

> ...y es que, detrás de esas caras, cualquier apetencia profunda, cualquier rebeldía, cualquier impulso, es atajado siempre por el *miedo*. Se tiene *miedo* a la reprimenda, *miedo* a la hora, *miedo* a la noticia, *miedo* a la colectividad que pluraliza servidumbres; se tiene *miedo* al cuerpo propio (...) se tiene *miedo* al vientre que acepta la simiente, *miedo* a las frutas y al agua; *miedo* a las fechas, *miedo* a las leyes, *miedo* a las consignas, *miedo* al error, *miedo* al sobre cerrado, *miedo* a lo que pueda ocurrir (...) todos parecen esperar la apertura del Sexto Sello (p. 264) [el subrayado es nuestro].

Es curioso —más que curioso, extraordinariamente notable— que una novela escrita en 1953 haya podido reflejar con tanta fidelidad la característica más alienante de la última década de nuestro presente: el *miedo*.

En tales circunstancias, el protagonista decide evadirse por segunda vez de su condición de «Hombre-Avispa, Hombre-Ninguno», para lo cual necesita cumplir las obligaciones adquiridas con el presente. Concluidas las gestiones se dispone a regresar a Santa Mónica de los Venados. Pero en vano será el intento, porque es difícil «volver a ser hombre cuando se ha dejado de ser Hombre»

(p. 27). El propio protagonista está advertido de la imposibilidad de recobrar su autenticidad,

> ...he tratado [dice] de enderezar un destino torcido por mi propia debilidad y de mí ha brotado un canto —ahora trunco— que me devolvió al viejo camino, con el cuerpo lleno de cenizas, incapaz de ser otra vez el que fui (p. 285).

CONCLUSION

La solución es esa. No se pueden andar los mismos caminos dos veces, porque aunque el escritor propone que el hombre sí puede escapar de su época y que sólo les es imposible lograrlo a aquellos que tienen una función intelectual que cumplir en el reino de este mundo, también dice,

> ...que la marcha por los caminos excepcionales se emprende inconscientemente, sin tener la sensación de lo maravilloso en el instante de vivirlo, se llega tan lejos, más allá de lo trillado, más allá de lo repartido, que el hombre, envanecido por los privilegios de lo descubierto, se siente capaz de repetir la hazaña cuando se lo proponga (...) Un día comete el irreparable error de desandar lo andado, creyendo que lo excepcional pueda serlo dos veces, y al regresar encuentra los paisajes trastocados, los puntos de referencia barridos... (p. 280).

En definitiva, Carpentier admite la irrevocabilidad del tiempo, del mismo modo que la irrecuperabilidad de la autenticidad del personaje central. Es incuestionable que jamás un pasado concluso ha podido revivirse porque «pasa el tiempo irrevocablemente, cancelándose a sí mismo, y toda ilusión de recuperar el pretérito tiene que ser deceptiva»[13]. Irremisiblemente terminan las vacaciones de este hombre, que volverá a engranarse en las masas colectivas autómatas, en las colmenas de colmenas, donde su voluntad se verá sojuzgada otra vez al contable o al cómitre de turno.

EVALUACION FINAL DE LOS NIVELES TEMPORALES DE LA OBRA

En el texto hay que distinguir varias categorías temporales. El tiempo cronológico de uso común, formado por unidades de medida; el tiempo subjetivo, que lo constituyen los diferentes niveles temporales que percibe y siente el viajero, y la ausencia de tiempo como nota de eternidad, que también cae dentro de la jerarquía anterior.

El tiempo normal progresivo en que se desarrolla la trama transcurre entre un 4 de julio y un 30 de diciembre, casi siete meses. El viaje, que es el túnel temporal por donde corre la acción, dura mes y medio, aproximadamente seis semanas, desde el día 7 de junio hasta el 27 de julio. Ahora bien, dentro de este último período temporal, tenemos que considerar el tiempo regresivo que se manifiesta por las experiencias subjetivas del personaje central. Este curso temporal pudiera contemplarse desde las varias dimensiones que más se subrayan en el texto. Desde el plano de las vivencias individuales que parece remedar, puede derivarse hacia dos vertientes: la histórica y la literaria. En el nivel del tiempo histórico, el hombre es un conquistador que va en busca del Dorado o Ma-

---

[13] Francisco Ayala, *España y la cultura germánica y España, a la fecha* (Colección perspectivas españolas, núm. 3; México: Finisterre, 1969), p. 72.

noa o que funda una villa. El tiempo se revierte unos cuatrocientos años.

Desde el plano literario, la novela entronca, de manera principalísima, con la *Odisea*. El héroe es un Ulises en esta otra parte del océano [14]. El tiempo subjetivo se retrotrae al siglo IX, a la Grecia homérica. A la luz de las aventuras experimentadas o vividas por el protagonista y de su idealismo, que pareciera concretarse en Rosario, el aventurero es un Quijote. La aguja de la escala del tiempo se mueve inversamente hasta detenerse en el siglo XVII. La frustración de su empeño y la segunda salida apoyan este vínculo con el hidalgo de la Mancha.

Como hombre desarraigado que va buscando su identidad en la tierra que considerase suya, que es donde adquiere relieve la veta autobiográfica, algunas de las evocaciones lo devuelven a la infancia. Este curso vital puede calcularse en unos cincuenta años. Empero, desde un plano más amplio, desde el horizonte del hombre angustiado del siglo XX que anhela escapar de esta centuria, la corriente inversa del tiempo se desborda tomando diferentes cauces. La vertiente histórica propiamente dicha, en la que el tiempo refluye hasta el año cero; la prehistórica, en la que el viajero asiste a la creación del hombre y su habitat hasta perderse en las fronteras de la eternidad; la bíblica, en la que el personaje central, en un escape de años que se restan, vive en el *Levítico*, es protagonista del Diluvio, habita en la ciudad de Henoch, goza de las delicias del Paraíso Terrenal, contempla la creación de

[14] Alegría, en «Alejo Carpentier: realismo mágico», pp. 54-55, dice: «La verdad es que mientras en un plano la expedición repite la hazaña de la conquista —en pleno siglo XX— y descubre el secreto de la cópula fabulosa de dos culturas, en otro plano, de más honda proyección, el héroe duplica la aventura de Ulises...» Más adelante destaca el plano de la aventura espiritual.

las tierras y las aguas y la separación del día y la noche, hasta alcanzar la aurora de la eternidad. Estas dimensiones temporales son también subjetivas.

Por último, la ausencia del tiempo está marcada con la visión de la eternidad en la Capital de las Formas, donde parece sentirse frente al reino de los cielos; la de Santa Mónica de los Venados, donde el hombre tiene la intuición de estar en el centro de todos los tiempos y en ninguno, y, por fin, la imagen del caldero demoníaco, donde se encara a una alucinación infernal. La eternidad es, pues, una distinción del tiempo como carencia del fluir de las unidades de medidas que lo forman, pero es, como tal, subjetiva.

Carpentier logra construir un andamiaje simbólico de tiempos pretéritos remotos sobre cimientos que, en rigor, pertenecen al presente, porque Santa Mónica de los Venados está separada de la urbe hispanoamericana, primero, y de la supertecnificada, después, por unas cuantas horas de viaje que el hombre salva en un avión de propulsión a chorro para clausular las dos trayectorias espaciales de su recorrido. Conviene advertir, sin embargo, que dados los avances y retrocesos temporales que sufre el viajero, la fluencia del tiempo sigue una corriente en zigzag que, en su persistencia a la circularidad, el novelista cancela en los dos puntos señalados anteriormente. Finalmente, cabe indicar el círculo que forma el texto *per se*. Se inicia y se cierra en la misma dimensión temporal: el presente de esa sombra del hombre atemporal que ha cruzado la historia y ha perdido sus pasos.

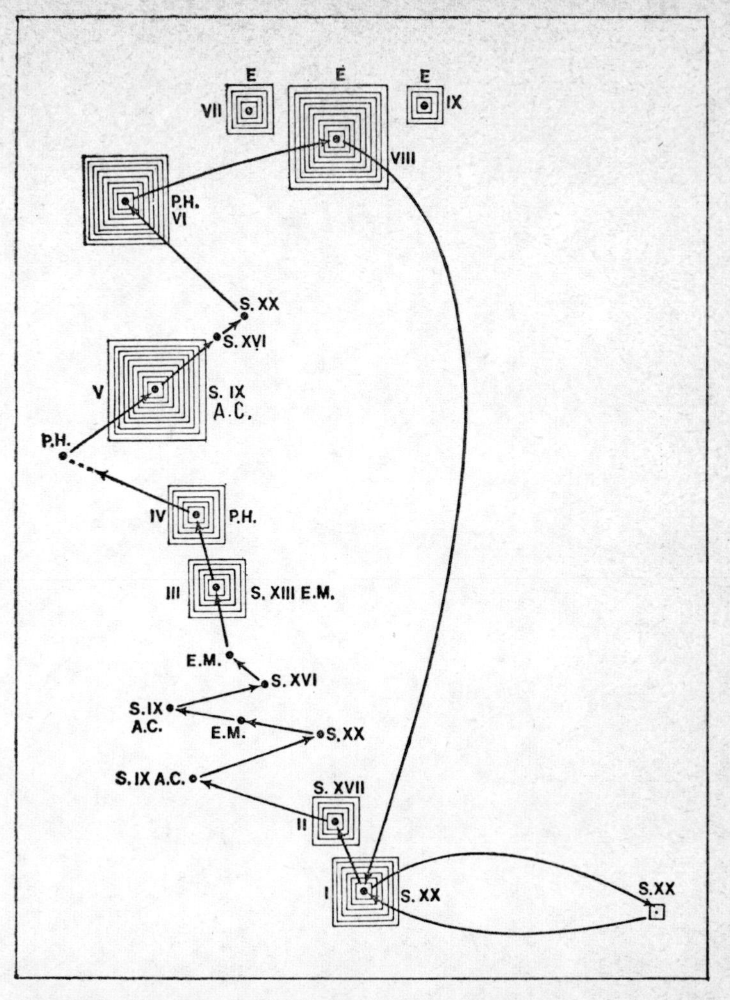

FIGURA 9.—*Esquema de las dimensiones tempo-espaciales del protagonista en* Los pasos perdidos. *El esquema intenta seguir los «pasos» del protagonista desde la ciudad del Presente y la ciudad Hispanoamericana hasta Santa Mónica de los Venados; luego, su retorno a la urbe sudamericana, primero, y a su verdadero presente, después. Los puntos de escala, ciudades, aldeas o comunidades, corresponden a: I, Ciudad Hispanoamericana; II, Los Altos; III, Santiago de los Aguinaldos; IV, Puerto Anunciación; V, Aldea de los griegos; VI, Aldea de los indios primitivos; VII, Capital de las Formas; VIII, Santa Mónica de los Venados; IX, Cerro de los petroglifos. Cada cuadrado representa un estrato temporal. En cada uno de los pasos simbólicos tomados por el hombre se ha tratado de establecer el nivel temporal de más relevancia, de acuerdo con el contexto espacial u otros motivos, tales como el plano temporal psicológico del hombre. En algunos casos se ha establecido con siglos exactos, en otros se ha preferido consignarlo con medidas más amplias: E. M., Edad Media; P. H., Prehistoria; A. C., Antes de Cristo; E., Eternidad. Obsérvese la línea curva en zigzag, cuyo trazado abarca desde la Ciudad Hispanoamericana hasta Santa Mónica de los Venados.*

Capítulo IV

«EL SIGLO DE LAS LUCES»

> El futuro no es el tiempo del amor: lo que el hombre quiere de verdad, lo quiere *ahora*. Aquel que construye la casa de la felicidad futura edifica la cárcel del presente.
>
> (Octavio Paz, *Posdata,* p. 101).

Al estudiar *El reino de este mundo* señalamos la coincidencia de tres de las novelas de Alejo Carpentier, en el hecho de que la fábula se proyecta sobre uno o más acontecimientos desarrollados en ciertas áreas o países en momentos determinados de su devenir histórico. En esta categoría de «novelas de revolución», agrupamos la novela mencionada anteriormente, así como *El acoso* y *El siglo de las luces*. Advertimos entonces ciertas concomitancias significativas, aunque parciales, entre la primera y la última de las novelas agrupadas en lo que se refiere a espacio, tiempo, historia, y estructura. En efecto, es *El reino de este mundo* la primera obra en que el autor se lanza al mundo espacial del Caribe abarcándolo, como ya se ha visto, parcialmente; ese mismo ámbito, pero ahora en su totalidad, es el que le sirve de marco escénico a *El siglo de las luces*. La primera de estas novelas se desarrolla en un curso temporal de unos sesenta años, que se ajustan a los siglos XVIII y XIX, apoyándose el escritor para la creación artística en las turbulencias esclavistas de Haití, luego aparece como telón de fondo la Revolución Francesa de 1789. En *El siglo de las luces* el lapso que ocupa la acción novelesca es de unos veinte años, que también se corresponden con las últimas décadas del siglo XVIII y la primera del XIX, y la trama se desarrolla sobre los acontecimientos históricos de la Revolución Francesa, especialmente sus repercusiones en el Caribe. Pero la concurrencia más singular nos parece que radica en la estructura cíclica de ambos textos. En los dos libros hay superposiciones de ciclos históricos que determinan, en el caso de *El reino de este mundo,* un tiempo que fluye en una espiral de pequeña dimensión, dada la selección de los acontecimientos novelados, en el de *El siglo de las luces,* una corriente temporal en espiral de mayor escala, por la acumulación de los hechos que recrea la fantasía del novelista.

El escritor toma como punto de partida para la reelaboración estética la Revolución Francesa, pero «desde 'aquí' y desde 'ahora'» [1], es decir, actualizándola.

> Carpentier vivisecciona en la realidad pasada; compone un fresco enervante, suave, apasionado, preciso; monta un mundo ya desaparecido que, sin embargo, revive, vuelve a la luz por obra y gracia de su extraordinaria pluma [2].

En las páginas de la novela quedan incluidos los períodos correspondientes a la Convención Nacional, el Directorio, el Consulado y el Imperio, como fondo histórico. Además, para reforzar y ampliar, a la vez, la persistencia de Carpentier en novelar desde el plano his-

---

[1] Bueno, «Alejo Carpentier y su concepto», p. 258.
[2] Sorel, «El mundo...», p. 91.

tórica, precisa señalar que en la obra se conjugan magistralmente personajes de ficción tales como Esteban, Carlos y Sofía, con personajes reales de tanta dimensión histórica como Robespierre, el arquitecto del Terror; Billaud Varennes, «ex-presidente de los Jacobinos, ex-presidente de la Convención, ex-presidente del Comité de Salud Pública...»[3]; Collot de Herbois, «el fusilador de Lyon»; y otros tantos como Marat y Dantón, cuyos nombres quedan en el trasfondo del texto. Sigue una larga lista de figuras secundarias, entre las que se destaca, en una complejidad de rasgos robesperrianos y napoleónicos, la figura de Víctor Hughes, a quien el autor coloca en el primer plano de la novela, si no fuera por otra cosa, porque él encarna la sangrienta y contradictoria Revolución en el Caribe.

Precisamente, dada esta oscuridad que envuelve la figura central de la novela, el escritor se ha sentido obligado a dejar una nota al final del libro en la que explica la veracidad histórica del personaje y su entrada en el gran Acontecimiento. Dice Carpentier:

> Como Víctor Hughes ha sido casi ignorado por la historia de la Revolución Francesa —harto atareada en describir los acontecimientos ocurridos en Europa, desde los días de la Convención hasta el 18 Brumario, para desviar la mirada hacia el remoto ámbito del Caribe—, el autor de este libro cree útil hacer algunas aclaraciones acerca de la historicidad del personaje (p. 299).

Prosigue el novelista trazando una sucinta biografía del hombre: el origen marsellés, los viajes por el Caribe, la apertura del almacén en Port-au-Prince, hasta su

---

[3] Alejo Carpentier, *El siglo de las luces* (5.ª ed.; México: Compañía General de Ediciones, S. A., 1969), p. 192. Las citas se harán por este texto con la página entre paréntesis.

entrada en la historia que, de acuerdo con la referida nota, «data de la noche en que aquel establecimiento fue incendiado por los revolucionarios haitianos» (p. 299). Más adelante el escritor se refiere a la reconquista de la Guadalupe por Víctor Hughes, su actuación en Cayena, y por último, el misterio de su muerte.

ESCENARIOS DE LA NOVELA

Uno de los rasgos más constantes de la novelística carpentieriana es el desplazamiento de un escenario a otro dentro de una misma obra. Los ejemplos que pudiéramos citar y que por lo demás hemos destacado en cada estudio particular, se multiplican. Sólo conocemos en el mundo narrativo del escritor dos textos en los que la acción se limita a la ciudad de La Habana: *Viaje a la semilla* y *El acoso*. En el resto de sus obras Carpentier nos lleva de un escenario a otro, aunque a veces estos escenarios estén señalados simbólicamente. *El siglo de las luces,* considerada por los estudiosos de su narrativa como su obra cumbre, epítome excelente, además, de su obra actual, no podía ser una excepción a esa recurrencia del novelista. El escenario del texto es cambiante. Como en un vértigo pasamos de la ciudad de La Habana, donde se inicia el libro, a Santiago de Cuba, a Haití, a Francia, donde entramos en el Acontecimiento y el escenario sufre nuevos cambios. Volvemos a Las Antillas, a la Guadalupe, navegamos por el Caribe, pasamos por Cayena y Paramaribo, nos instalamos de nuevo en La Habana, de donde regresamos a Cayena para concluir en España. A estos efectos dice Harss:

> Carpentier construye su epopeya contra un fondo florido que abarca todo el mar Caribe —y se extiende al

> otro lado del Atlántico hasta Francia y España—, para componer un cuadro que rebosa de catástrofes naturales e históricas tan prolíferas y superpuestas que es difícil a veces saber si estamos naufragando en alta mar, muriendo en una epidemia o perdiendo la cabeza en una purga jacobina [4].

De este modo la visión espacial se corresponde con la monumentalidad de los hechos que se narran y la riquísima temática de la obra que recoge, entre otros muchos, tiempo, historia, amor, felicidad, religión, música, el continente americano como Tierra de Promisión, y la perenne búsqueda, en la novelística del autor, de la realización del hombre. Es así como en su variadísima temática resuenan ecos de su obra anterior. Resulta, pues, *El siglo de las luces* un mundo abarcador de la narrativa del escritor, en el que si algún tema cobra mayor resonancia, es, sin duda, el de la Revolución, con lo cual podríamos insistir en lo que ya se dijo en *El reino de este mundo:* la historia no es sólo el cauce por donde fluye la trama, es el protagonista más profunda y ampliamente estudiado en el texto. A este propósito, resulta extraordinariamente curioso que la novela, comenzada en Caracas en 1956 y terminada en Barbados en 1958, no se publicara, ni en español ni en francés, hasta 1962, cuando en la isla de Cuba se desarrollaba ya la reciente revolución [5]. Con ello no queremos establecer nexos ni

---

[4] Harss, *Los nuestros,* p. 77.

[5] A propósito de esta alusión, conviene traer aquí, para reforzar nuestra idea, lo que dice Luis Harss en *Los nuestros (ibíd.,* p. 83): «Así, la experiencia revolucionaria, que cayó en la desidia en los siglos XVIII y XIX, ha resucitado en el siglo XX. Carpentier pone esto de relieve cuando dice que *El siglo de las luces* fue originariamente compuesto entre los años 1956 y 1958. Luego, subraya con intención, lo revisó al regresar a Cuba, en 1959, para unirse a las fuerzas de la revolución... (razón por la cual no se publicó hasta 1962). Las cosas

paralelos entre una revolución y otra. Consideramos que el libro es bastante transparente para que el lector con un agudo sentido de lo que es una revolución y de sus consecuencias ulteriores pueda llegar a sus propias conclusiones. Por ahora nos basta con apuntar las declaraciones que el propio escritor le hiciera a César Leante sobre este asunto:

> Traía en la maleta una nueva novela, *El siglo de las luces* (...) pero necesitaba *retoques* y el cambio que se observaba en la vida y en la sociedad cubana me resultó demasiado apasionante para que pudiera pensar en otra cosa [el subrayado es nuestro][6].

No conocemos el alcance de esos retoques posteriores que sufrió la obra. Queden las investigaciones sobre sus proporciones para los futuros estudiosos de la narrativa de Alejo Carpentier.

DIVISION Y ESTRUCTURA

El curso temporal de la acción novelada, como se ha dicho, cubre un período de unos veinte años. Comienza alrededor de 1789 y termina un poco después del 2 de mayo de 1808, fecha que señala el comienzo de la guerra

---

que Carpentier 'nombra' en su libro han llegado a suceder.» Por su parte, Rodríguez Monegal en *Narraciones de esta América,* I, 281, dice: «Aunque él [Carpentier] ha declarado que la novela estaba terminada en 1958, antes del triunfo de Fidel, también ha declarado (para la revista *Cuba,* que dirige Lisandro Otero) que la obra sufrió algunos retoques posteriores antes de ser publicada (...) La naturaleza y extensión de esos retoques me es desconocida. De todos modos, y sin atribuir para nada a Carpentier la intención de una determinada interpretación, se me hace difícil no encontrar ciertos paralelos entre el Caribe del siglo XVIII y el de hoy.»

[6] Leante, «Confesiones...», p. 28.

de independencia española contra los franceses. En ningún caso, es decir, ni al comienzo ni al final podemos establecer una fecha exacta.

Todo el material de la novela se reune en siete capítulos divididos a su vez en subcapítulos numerados en orden sucesivo hasta la cifra de cuarenta y siete. Sin embargo, si queremos hacer un análisis de la novela que exprese de manera más clara y concreta nuestro juicio sobre ella, nos vemos obligados a limitarnos, sólo en parte, a su organización formal en siete capítulos. Con la excepción del primero, que obedece a la técnica, muy propia del autor, de darnos una prefiguración simbólica del contenido del resto del libro, y del último capítulo, que se reduce a la conclusión, los demás corresponden a lapsos bien delimitados en la línea recta del acontecer histórico. Dividamos, pues, la novela en seis ciclos. El primero, el ciclo de la Libertad y la Guillotina. Comienza cuando Víctor y Esteban llegan a Francia y se prolonga hasta las repercusiones en América del 9 termidor. Coincide con el capítulo II de la obra. El segundo, el ciclo de la Institucionalización y el Corso, que constituye una vuelta al orden y el renacer de una nueva clase de ricos. Concluye este ciclo con la destitución de Víctor Hughes como comisario del Directorio en la Guadalupe y el viaje de Esteban a Cayena. Todos estos acontecimientos se relatan en el capítulo III. El tercero, el ciclo de la Guillotina Seca, se concentra en Cayena, donde el narrador tiene especial interés en ofrecer al lector la otra cara de la revolución. Finaliza este ciclo con la salida de Esteban para La Habana. El cuarto, la vuelta al Antiguo Régimen del orden y el comercio, que se extiende desde la llegada de Esteban a la capital de Cuba hasta la salida de Sofía rumbo a Cayena, hecho que ocurre en el capítulo V. En este capítulo se desarrollan dos ciclos, el ya mencionado anteriormente hasta el subcapítulo XL, en el que propiamente se inicia la quinta corriente temporal cíclica de la novela: la revolución sensual de Sofía, que comprende desde su salida de la Habana hasta su encuentro con Víctor Hughes en Cayena en el capítulo VI, subcapítulo XLIV. El resto de este último capítulo proyecta el ciclo de la Reacción; concluye con él y el viaje de Sofía con destino a Burdeos.

Los ciclos se alternan. El primero, el tercero y el quinto equivalen a movimientos revolucionarios; el segundo, cuarto y sexto constituyen ciclos de orden, actividades comerciales o reacción. Es bien notorio, pues, que la estructura del relato es cíclica. Pero conviene notar además el hecho de que la novela se abre y cancela con el mismo personaje —Carlos—, lo que apunta ya a la figura cerrada, o sea, a un inmenso círculo que aloja en sí los múltiples que contiene la obra. Por ejemplo, si se observan las incidencias de dos de los personajes más importantes —Esteban y Sofía—, la trama, además de los ciclos de tiempo ya indicados, puede visualizarse estructurada en dos círculos. El primero corresponde a las aventuras del joven, que inicia su trazado con su salida de la capital cubana y lo cierra con su retorno a ella. Comprende en el libro desde las últimas páginas del capítulo I hasta el fin del capítulo IV. El segundo es el de su prima, que principia sus aventuras, con su viaje a Cayena, en el instante en que el primero termina las suyas. Concluye regresando al punto de arranque, la casa española, que, en rigor, es la imagen de la casa cubana. En el texto comienza en el capítulo V y su curva retoma el punto de origen al concluir el capítulo VI. A estos dos podría sumársele el del propio Acontecimiento recreado, que refleja el de Víctor. Este coincide en su principio con el de Esteban y retrocede, luego de todos los cambios que conlleva el proceso, hasta empalmar con la situación inicial. En la narración abarca las últimas páginas del capítulo I y los siguientes, II, III, IV, V y VI, en que finaliza «el ciclo de una larga enajenación» (p. 286).

Con la superposición de estas etapas cíclicas, Carpentier nos brinda una nueva secuencia histórica que obedece a las leyes sincrónicas que, de acuerdo con la visión del escritor, rigen la historia de la humanidad. La corriente temporal histórica, como en el caso de *El reino de este mundo,* proyecta la imagen de una espiral en cuyo turbulento girar surge, desaparece y mutila al hombre, para confrontar sólo la enorme frustración de encontrarse al final en el mismo emplazamiento inicial.

CAPITULO PREPARATORIO: LA MANSION-CIUDAD MUNDO CUBANO

La novela se inicia con un capítulo que es prenuncio de lo que ocurrirá en los ciclos temporales establecidos. El lector se enfrenta a un mundo cerrado representado por una mansión colonial en la ciudad de la Habana, símbolo, por supuesto, del Antiguo Régimen [7]. La mansión en sí misma es un calco de la España involucionada de la época de Felipe II. El padre que acaba de morir es, además, un retrato del monarca del Escorial. Vestía siempre de negro, era austero, religioso, de hábitos fijos y una gran meticulosidad administrativa:

---

[7] Véase Jorge Campos en su artículo «La Antilla de Alejo Carpentier», *Insula,* noviembre 1966, pp. 11-12. El autor señala que la mansión habanera es símbolo del Antiguo Régimen. «Simplificando, en todos los sentidos de la palabra, podíamos decir que la casona con que se abre la acción es el Antiguo Régimen y a ella van a comenzar a llegar las luces del siglo que se bautizó con ellas.»

> ...fiel a los hábitos heredados de sus abuelos campesinos, había descansado siempre en una habitación del primer piso, sobre un camastro de lona con un crucifijo en la cabecera, entre un arcón de nogal y una bacinilla mejicana (...) «mis antepasados eran de Extremadura», decía, como si eso lo explicara todo, alardeando de una austeridad que nada sabía de saraos ni de besamanos. Vestido de negro, como lo estaba siempre desde la muerte de su esposa, lo había traído don Cosme de la oficina, donde acababa de firmar un documento, derribado por una apoplejía sobre la tinta fresca de su rúbrica (p. 22).

El mundo que representa la casa es el del orden y el comercio. Aledaño a ella estaba el almacén en el que, más allá de los escritorios y cajas fuertes, se abrían las calles entre montones de sacos, toneles, fardos. Cada una de ellas tomaba el nombre de los productos alineados a ambos lados, tales «La Calle de la Harina», «La Calle de los Cordajes y Jarcias», «La Calle de los Cueros», siguiendo en profusión ilimitada la reproducción laberíntica de una ciudad en su complejidad de barrios y callejuelas.

Los elementos que concurren bastan para que el lector perspicaz inmediatamente se dé cuenta de que la novela comienza con un ciclo de orden que concluye con la muerte repentina del padre y jefe de familia. Es en esa casa-ciudad-mundo donde el autor presenta al resto de los personajes.

Es importante destacar que el primer personaje que nos presenta el escritor es Carlos, el hijo mayor. El segundo es Sofía, la hija que había pasado la mayor parte de su vida enclaustrada en el convento de las monjas clarisas; por último, Esteban, el primo, adolescente como ellos, confinado por el asma a una de las habitaciones interiores de la mansión.

La muerte del padre es el acontecimiento que va a sacudir aquellas vidas jóvenes. Una sensación de soledad, de desamparo los envolvía en aquel mundo cerrado, mercantil y feo. Sin embargo, precisa decir que, junto a la sensación de orfandad, sentían un cierto deleite interior de libertad, ahora que no sufrían el rigor que implicaban las rígidas normas del padre. De aquí que aquella noche ordenaran una cena al hotel cercano, que Remigio, uno de los fieles criados de la casona, traía en

> ...bandejas cubiertas de paños, bajo los cuales aparecieron pargos almendrados, mazapanes, pichones a la crapaudine, cosas trufadas y confitadas muy distintas de los potajes y carnes mechadas que componían el ordinario de la mesa (p. 20).

La cena desusada, que rompía con todo lo establecido, marca el principio de un nuevo ciclo para este mundo: el de la libertad. Ni que decir hay que el régimen de opresión anterior, en el que el padre ejercía el poder absoluto, representa la Francia de los Borbones. El desconcierto de los jóvenes, la confusión y exaltación del pueblo francés en los primeros días de la revolución.

El mundo de la casa se revestía de una nueva dimensión. Los jóvenes se sentían libres para expresar sus ideas. Por otro lado, la llegada de libros que se apilaban sobre los antiguos muebles de la mansión y de aparatos científicos —artefactos de ciencias, matemáticas, física y química— muestra, ciertamente, que las nuevas ideas calaban en aquel mundo. En este ambiente caótico, formado por laberintos de cajas, los jóvenes vivían una etapa de sobreexcitación con la lectura de los nuevos libros y el afán de armar aquellos singulares aparatos.

En aquel frenesí el tiempo se les trastocaba. El día se convertía en noche y viceversa. El alba se trocaba en crepúsculo, el desayuno en cena «y el reloj se había transformado en reloj de luna» (p. 27). Recurso literario que hemos visto en *Viaje a la semilla,* aunque con el propósito de darnos el fluir del tiempo a la inversa y el vértigo de la juventud. Con esta visión de vértigo temporal, Carpentier nos ofrece una imagen lograda de la revolución que se había apoderado de la mansión, donde no quedaban ya vestigios del Antiguo Régimen. La convulsión era total.

En este estado de desorientación transcurrió un año. Pero cierto día, un desconcierto de aldabas hizo temblar la casa. La llegada de Víctor Hughes aproxima nuevos acontecimientos. Vale señalar que la conmoción que se había producido en ella no había repercutido en el mundo exterior, dado que los jóvenes habían resistido todo contacto extraño. Empero, en esta ocasión, la resistencia a la presencia extraña resultó fallida, tal era el empaque de este personaje que resumía en sí una pluralidad de hombres.

Evidentemente, Víctor Hughes era un personaje desconcertante. Con un desparpajo que dejaba perplejos a los adolescentes imponía no sólo su presencia, sino sus ideas y decisiones. Luego de introducirse en el mundo al que no había sido invitado, se paseaba entre artefactos y libros con la seguridad de un experto, deteniéndose ante un libro o aparato para leerlo o armarlo con manifiesto entusiasmo. Sin duda, estaba muy al día en las corrientes científicas y filosóficas de la época. Luego de hacer su síntesis biográfica, marsellés, panadero, navegante del mundo del Caribe,

> ...pidió permiso para ponerse en mangas de camisa, ante el asombro de los demás, desconcertados por verlo penetrar con tal familiaridad en un mundo que, esta

> noche, les parecía tremendamente insólito al erguirse, junto al «Paso de los Druidás» o «La Torre Inclinada», una presencia extraña (pp. 34-35).

Dueño del escenario, aquella noche la cena fue presidida por el marsellés. Poco después hubo una representación teatral en el Gran Salón, para la cual Víctor y los jóvenes vistieron trajes de personajes históricos de acuerdo con su propia personalidad. Al final hubo una gran masacre: «caían prelados, caían capitanes, caían damas de corte, caían pastores, en medio de risas que, lanzadas a lo alto por la angostura del patio, podían oírse en toda la calle...» (p. 37).

Nuevamente, dos elementos preludian el futuro. La presencia de la avisada e impetuosa personalidad de Víctor Hughes, que se imponía sin el menor pudor, con fibras de tirano y orador, dueño en consecuencia de la escena desde el instante de su llegada, anuncia, con rasgos nítidos. la entrada de Robespierre en el proceso de la Revolución Francesa. La última escena, la masacre, es el símbolo del Gran Terror. La Revolución había llegado a su culminación en la casa habanera.

Pero un nuevo rumbo se presentía. De las cajas, que habían ayudado a formar aquel vertiginoso y laberíntico mundo, salían muebles, cuadros, espejos y todo iba tomando su exacto lugar. Al atardecer, cuando los jóvenes se levantaron se encontraron con que «toda una escenografía de sueños se venía abajo» (p. 38). Luego de la nostalgia primera por lo ido vino el impulso de gozar de lo nuevo,

> ...poseídos por un repentino furor de arreglarlo todo, (...) se arrojaron sobre lo que quedaba en las cajas, desenrollándose alfombras, desplegando cortinas, sacando porcelanas del serrín, tirando al patio cuanto hallaban

roto —y sintiendo tal vez no encontrar más cosas rotas para estrellarlas en la pared medianera (p. 38).

Es indudable que se entraba en una nueva etapa: el restablecimiento del orden y la normalidad, para festejar lo cual hubo «Cena de Gran Cubierto» en una ciudad imaginaria: Viena. Luego, un baile de embajadores «frente a las lunas biseladas del salón...» (p. 38). Todos bailaban y todos se sentían grandes señores.

El afán del autor por delimitar ciclos es extraordinario. La figura de Víctor Hughes, de acuerdo con los elementos que Carpentier nos suplementa, cobra los rasgos de otra figura histórica: la de Napoleón Bonaparte. Por lo que consideramos oportuno puntualizar que el novelista no sólo está proporcionándonos los elementos necesarios para deslindar ciclos futuros, sino que al mismo tiempo nos anuncia el *rol* que estos personajes desempeñarán en ellos.

De manera que así se deriva hacia el régimen de la reacción. El carácter del imperio napoleónico termina de fijarse cuando Víctor Hughes, en virtud de un ataque súbito de asma en Esteban, se lanza al mundo exterior, donde la atmósfera era menos sofocante. Ello es que la casa —un mundo en sí mismo— rompe sus muros para la conquista del ámbito exterior, marcada en esta etapa de la novela, con la afirmación de la hombría de Esteban que monopoliza la atención de todos; Carlos, por su parte, también se eclipsa, por lo cual Sofía, «situada en el umbral de una época de transformaciones» (p. 45), solía permanecer sola durante las horas de la tarde.

Víctor Hughes, ahora que se había restablecido la normalidad en la mansión, se preocupaba por los negocios del almacén, persiguiendo al albacea, don Cosme, quien, desde la muerte del padre, tenía a su cargo los asuntos comerciales. El marsellés, aunque avisado de la apatía de Sofía hacia los negocios, «se daba a aconsejarla: apenas tuviera edad para hacerlo, ella y su hermano debían deshacerse del albacea, confiando el manejo de sus intereses a una persona más capaz, que diese mayores vuelos al negocio» (p. 48).

El orden de la mansión, la normalidad del tiempo, la conquista del mundo exterior, las preocupaciones por los asuntos del negocio, habían remontado la escala del tiempo para hacer de aquel mundo un mundo que en mucho se parecía a aquel de la época del padre, lo que llevaba a Sofía a exclamar ante los consejos de Víctor y no sin cierto sarcasmo: «Tal parece que estuviera hablando mi santo padre, que Dios tenga en su gloria» (p. 48). La casa retomaba la apariencia que tenía en la época del Antiguo Régimen. Es bien notoria la vuelta de Víctor Hughes a su origen primero, comerciante, del mismo modo que su inclinación paternalista y absolutista.

De ahí que la concurrencia de todos estos factores no lleve, por un lado, a fijar etapas que anuncian el futuro: el período de la reacción napoleónica y la caída en el Antiguo Régimen. Por otro, hay que decir que también prefiguran la salida de Esteban con el marsellés, así como los ciclos de estos dos personajes dentro de la acción de la obra, y la desaparición transitoria de Sofía y de Carlos de la trama.

Resumiendo, desde el punto de vista histórico, este capítulo ha registrado hasta el momento el ciclo del Antiguo Régimen —sólo aludido— del padre, el período de la Libertad y la Revolución, la Institucionalización y el Comercio, la Reacción y la vuelta al Antiguo Régimen, aunque estos dos últimos no aparezcan en ese orden en la acción novelesca.

Se evidencia asimismo el propósito del autor de imponernos las distintas facetas de la personalidad de Víctor, capaz de encarnar los papeles más disímiles en el «Gran Teatro del Mundo». Así,

> ...cuando hablaba de compra-ventas hacía una gesticulación de cambista, con las manos que se transformaban en platillos de balanza. Poco después, se concentraba en la lectura de un libro, permaneciendo inmóvil con el ceño tenazmente fruncido, sin que los párpados parecieran moverse sobre sus ojos sombríos dotados de una fijeza que calaba las páginas. Cuando le daba por cocinar, se tornaba cocinero (...) Ciertos días, sus manos eran duras y avaras —con esa manía de cerrar el puño sobre el pulgar, que Sofía hallaba desagradablemente reveladora—. Otras veecs se le hacían ligeras y finas, acariciando el concepto como si fuese una esfera suspendida en el espacio (p. 49).

Carpentier no hubiera podido seleccionar frases más acertadas para dibujar los rasgos netos de este hombre distinguido y vulgar, al parecer filántropo, pero más que nada comerciante. Porque Víctor, aunque tenía un agudísimo olfato para los asuntos comerciales, parecía también tener ideas políticas y sociales, de las cuales blasonaba, y que barruntaban una nueva era revolucionaria. «Todos los hombres nacieron iguales» (p. 42), había dicho a Sofía cuando ésta mostrara ciertos prejuicios contra el negro Ogé. Además, se manifestaba a favor de una mejor distribución de las riquezas, «la entrega de los hijos al Estado, la abolición de las fortunas y la acuñación de una moneda de hierro que, como la espartana, no pudiera atesorarse» (p. 49), todo lo cual nos lleva al comienzo de una nueva fase revolucionaria.

Esta vez es el ciclón el que determina el inicio de un nuevo ciclo. Con su proximidad, las ráfagas ganaban intensidad y el agua empezaba a inundar aquel ámbito.

> ...De pronto hubo un fragor de derrumbe: una techumbre lateral de la casa largaba las tejas, como un puñado de naipes, sobre el suelo del patio. Ahora un montón de escombros, de barro roto, cerraba el paso al almacén obstruyendo la puerta (p. 52).

Por fin, aquel cuadro, *Explosión en una Catedral*, que tanto subyugaba a Esteban en «la apocalíptica inmovilización de una catástrofe» (p. 21) y que, en cambio, tanto repelía Sofía «por ese movimiento detenido, [en] su perpetua caída sin caer» (p. 45), alcanzaba vida y movimiento, puesto que la mansión cuya techumbre lateral se viene al suelo, con el consiguiente amontonamiento de escombros obstruyendo el paso hacia lo establecido y regularizado, es una innegable revelación de una era apocalíptica en cuyo umbral se encuentran los adolescentes. De hecho, el novelista se las ha arreglado para darnos muy virtuosamente un cuadro dentro del otro, al mismo tiempo que nos va delineando los caracteres de ambos jóvenes.

Hay, pues, un elemento que hace estallar lo establecido. Para Sofía, el impacto del ciclón tiene resonancias más hondas. Las ráfagas del torbellino barrían con su adolescencia. Por primera vez se había sentido deseada como mujer. «Lo ocurrido —lo no ocurrido— adquiría una dimensión enorme» (p. 54).

De modo que el ciclón establece la vuelta a los tiempos del desorden. La casa, momentáneamente, volvía a convertirse en el mundo laberíntico de las «Torres Inclinadas» y los «Pasos de Druidas», con cajas, muebles y escombros amontonados,

> ...cortinas descolgadas, alfombras enrolladas en lo alto de los armarios (...) y la singularidad de todo, la violencia de un acontecimiento que había sacado a todo el mundo de sus hábitos y rutinas, contribuía a agravar en

> Sofía el sinfín de desasosiegos contradictorios que le había producido, al despertar, el recuerdo de lo ocurrido la noche anterior. Aquello formaba parte del vasto desorden en que vivía la ciudad, integrándose en una escenografía de cataclismo. Pero un hecho rebasaba en importancia el derrumbe de las murallas, la ruina de los campanarios, el hundimiento de las naves: había sido deseada (pp. 55-56).

Este ciclo temporal que comienza con la convulsión que produce el ciclón es de corta duración. Ahora bien, nos importa puntualizar que si los hechos subrayados con anterioridad preludian los ciclos de Esteban y Víctor dentro de la obra, como se ha elucidado ya, éste deja entrever el ciclo de Sofía ante la revolución de su feminidad, que se cumple desde que ella sale de la Habana hasta que toma conciencia de la realidad frente a los ineludibles acontecimientos de Cayena y la reacción napoleónica. En realidad, es un ciclo más subjetivo que objetivo.

A esta conmoción sigue un período de restablecimiento muy sutilmente dado, pues al otro día se restablecía el orden perdido. Víctor, por su parte, se sumía en los libros de contabilidad del almacén con el propósito manifiesto de descubrir las pruebas concretas contra el albacea. Es demasiado obvia la irrefrenable tendencia del marsellés hacia los asuntos comerciales.

Como se observa, estos dos ciclos de orden y desorden están más sugeridos que desarrollados. Así ocurre también en la acción de la novela. Mas al día siguiente se producía una nueva explosión. Víctor había dado con las pruebas contra el albacea. El desenlace es la confrontación de ambos. Salta a la vista que el choque no se produce simplemente entre dos hombres, sino entre dos sistemas. Uno, que se quiere erradicar por reaccionario; el otro, que se quiere imponer para instaurar nuevas ideas filantrópicas. El primero, de acuerdo con lo que muy claramente expone Carpentier en el curso de la narración, que explota al hombre, pero lo deja vivir y soñar; el segundo, que pregona la libertad y los principios que llevan implícitamente la dignidad del hombre, pero que lo enloquece, esclaviza y aniquila sin dejarle la posibilidad de soñar.

Es bien patente que Carpentier ha logrado a plenitud lo que intentaba, precisar diáfanamente los ciclos que luego descubrimos en el libro y hacer de la «casa-ciudad-mundo» el mundo de la novela. El capítulo comienza con un ciclo que apenas asoma, el del Antiguo Régimen; después se perfilan, sucesivamente, la Libertad y la Revolución; la Institucionalización y el Orden, con la vuelta a la normalidad de la casa; la Reacción, con el baile y la conquista del mundo exterior; el retorno al Antiguo Régimen, con la preocupación de Víctor por los asuntos comerciales; el ciclón y sus efectos introducen un nuevo ciclo revolucionario, la Revolución de Sofía; se restablece el orden momentáneamente, que es una alusión a la caída en el Antiguo Régimen, para precipitarse, por fin, en el comienzo del primer ciclo revolucionario del texto con la confrontación de las dos fuerzas: don Cosme y Víctor. Pero hay más vínculos entre este capítulo y los ciclos temporales establecidos.

En la fuga, que es el arranque del ciclo que se abre, los jóvenes se encontraban en medio de un vértigo de palabras cruzadas entre Ogé y Víctor, que al fin soltaba la máscara de comerciante para ponerse la de revolucionario transitoriamente. Hablaban sin reservas, atropelladamente, del nuevo decreto, de «E-NOR-ME» trascendencia, que le daba la libertad al negro para desempeñar cualquier cargo público. Discutían sobre las eras metafísicas y religiosas y las futuras épocas de la ciencia. Se hablaba sobre la ingratitud de la estratificación social; en contra del mercantilismo, monstruo provocador de todas las guerras. Era un torbellino de palabras, entre las que repercutían con más fuerza las de «libertad, felicidad, igualdad, dignidad humana» (p. 64).

Asomaba así en la «casa-ciudad-mundo-cubano» el comienzo de un ciclo que se alargaba hasta recoger en su turbulencia el vértigo de las palabras de los conspiradores en su fuga, la entrega de Sofía a Víctor en Santiago de Cuba, las revueltas de los esclavos en Haití, la Revolución Francesa en suelo europeo y, por último, su culminación y caída en la Guadalupe.

ANALISIS DE LOS CICLOS TEMPORALES

El ciclo de la Libertad y la Guillotina

> Podía surgir aún algo justo; acaso más justo que lo que tantas veces hubiera dejado de serlo por demasiado hablarse (...) Podía ponerse la esperanza en una Libertad más disfrutada y menos pregonada; en una Igualdad menos derrochada en palabras, más impuesta por las leyes; en una Fraternidad que menos caso hiciera de la delación y se manifestara en el restablecimiento de tribunales verdaderos, nuevamente provistos de jurados... (pp. 135-136).

La acción de este ciclo temporal, que, como hemos dicho, es una prolongación del que surge en la mansión habanera, se desarrolla en diferentes escenarios. París, centro convulsivo de la Revolución del cual participan ambos personajes, Esteban y Víctor; San Juan de Luz, que constituye el escenario aquietante y desilusionador para Esteban, y Rochefort, punto de arranque de Víctor como hombre de mando. Estos marcos escénicos caen dentro de territorio francés. Luego tenemos la travesía hacia la Guadalupe y la toma de la isla, donde se alcanza la culminación de la curva y su caída con la vuelta al punto de partida.

La fase de exaltación que se vive en París coincide con la llegada del joven cubano y del marsellés a la ciudad. Esteban se incorporaba de inmediato a la emoción del pueblo francés. El espectáculo le resultaba singular e imprevisto. Los colores de la insignia tricolor se desplegaban por todas partes. A ello se unía la inquietante algarabía de una multitud enardecida, dispar en los elementos que la integraban, que comentaba, con la seguridad del que posee el secreto, las últimas resoluciones de una revolución que se gestaba sabía Dios en que recónditos lugares. Al joven

> ...más que en una revolución le parecía que estuviera en una gigantesca alegoría de la revolución; en una metáfora de revolución (...) centrada sobre polos ocultos, elaborada en soterrados concilios, invisible para los ansiosos de saberlo todo (p. 84).

En esta etapa de conmoción, Esteban asistía a los círculos políticos clamando por las medidas más radicales contra cualquier rumor contrarrevolucionario que se alzara. Apurando todas las posibilidades que le brindara el Acontecimiento, se iniciaba en la «Logía de los Extranjeros Reunidos» (p. 87) —consideraba estas instituciones centros subversivos de acuerdo con las informaciones previas de Víctor y Ogé—. Es la fase emocional de Esteban, que, no se puede negar, se había iniciado en la isla del Caribe.

A este primer período seguía la incorporación oficial de los personajes al movimiento revolucionario. Con ese motivo, Esteban pasaba a San Juan de Luz, pueblecito próximo a la frontera española, donde tendría a su cargo la propaganda revolucionaria con destino a España. El marsellés, por su parte, partía rumbo a Rochefort, donde asumía el cargo de «Acusador Público ante el Tribunal Revolucionario».

Es necesario indicar que el escritor deliberadamente aleja a Esteban del centro de la Revolución, es decir, de la emoción y exaltación del pueblo. Asimismo lo coloca en un cargo de segunda o tercera categoría dentro del Acontecimiento. El propósito no podía ser más obvio. No es el actor el que puede juzgar la pieza dramática, sino el espectador que la contempla desde el balcón o la butaca. De aquí que el distanciamiento y relegación a cargo tan insignificante influyeran de modo decisivo en el joven que de esta manera contaba con una perspectiva más amplia, por lo que asumía una actitud más mesurada al analizar el desarrollo del proceso. Esteban se convierte así en el espectador-crítico de la Revolución, aunque conviene no olvidar que, todavía en París, se había percatado ya de ciertas contradicciones de Víctor.

En el pueblecito fronterizo, con la monotonía del trabajo impuesto, la incomunicación y la distancia que lo separaba del desarrollo del Acontecimiento, se acrecentaba el desencanto del joven, que por primera vez sentía la nostalgia de la patria:

> ...no valía la pena haber venido de tan lejos a ver una Revolución para no ver la Revolución; para quedar

> en el oyente que escucha, desde un parque cercano, los fortísimos que cunden de un teatro de ópera a donde no se ha podido entrar (p. 95).

Estos elementos constitutivos del ambiente provocaban que, a medida que el tiempo transcurría, el joven cobrara una visión más neutralizada de los hechos. Empezaba a sopesar las contradicciones del proceso en constante mutación. La revolución se le mostraba «contradictoria, paroxística, devoradora de sí misma» (p. 95). Se multiplicaban los decretos y las leyes que se derogaban antes de que se conocieran en provincia. Se sustituía el calendario cristiano por el revolucionario. Además, se procedía al cambio de nombre de los lugares públicos y ciudades. La plaza de Luis XVI pasaba a ser plaza de la Libertad, y reñida con el mismo concepto de Libertad se levantaba allí la Guillotina como amenaza implacable para quienes incurriesen en el delito de pensar o hablar contra las medidas dictadas por los que se creían infalibles, abrogados de los supremos derechos de dictar las normas del Pensamiento y la Palabra. Por primera vez aparecían juntas la Libertad y la Guillotina.

Mientras tanto, Víctor se estrenaba como hombre de acción en Rochefort. Al objeto de simplificar el proceso de los juicios revolucionarios había instalado la Guillotina en la misma Sala de los Tribunales. Por lo demás, la máquina se paseaba por toda Francia al objeto de preservar la Libertad. La época del Gran Miedo había llegado. No se sabía quién sería el próximo delator ni la próxima víctima. Este era el cuadro de la revolución en suelo francés. Cabe insistir en que los dos hombres veían el proceso revolucionario desde ángulos muy diferentes.

La curva del ciclo sigue perfilándose con la travesía hacia la Guadalupe. Con el propósito de recuperar la isla de los ingleses y de los propios colonos monárquicos franceses, se preparaba una expedición al mando de la cual iban Víctor Hughes y Chretien. Esteban se incorporaba a ella como tipógrafo.

El encuentro de los antiguos amigos fue una revelación para el joven habanero. El marsellés se veía más delgado y «su rostro esculpido en fuertes relieves reflejaba una energía acrecida por el mando» (p. 102). La frialdad, el laconismo y el tono severo del saludo constituían la resolución del hombre de mando de delimitar distancias. Esteban «comprendió que Víctor se había impuesto la primera disciplina requerida por el oficio de conductor de hombres: la de no tener amigos» (p. 102). Marginado de nuevo del Acontecimiento, el joven se limitaba a su posición de espectador-crítico de la revolución en América, o sea, de Víctor Hughes que es quien la encarna. A propósito de esto, nos parece interesante notar que es a través de Esteban que el novelista nos ofrece este ciclo y el de al Institucionalización, así como el de la Guillotina Seca.

A bordo de la nave en que viajaban el marsellés y el joven, este último descubría que la Guillotina también iba con ellos; pero junto a la máquina aparecía el Decreto del 16 pluvioso, que promulgaba la libertad para los esclavos negros de la Guadalupe. Por segunda vez, la Libertad se asocia a la Guillotina. A la llegada a la isla, con vista a su rescate, el comisario de la Convención hacía uso del mencionado Decreto para asegurarse la ayuda de la masa de esclavos. A ese fin se esparcían las proclamas de la Libertad en todas direcciones. Empero, una vez en poder de la isla, la filosa cuchilla de la Guillotina avanzaba hacia el puerto en la proa de la *Pique*. De este modo, el Decreto de la Libertad le había servido para ganarse el apoyo de los esclavos y apoderarse de la isla; la Guillotina para llevarlos de vuelta a la esclavitud. Por tercera vez aparecían yuxtapuestas la Libertad y la Guillotina.

Importa subrayar que el Acontecimiento de la Guadalupe es una copia en pequeña escala espacial, pero no en violencia, de la Revolución en suelo francés. Víctor, que había quedado dueño absoluto de la isla, procedió a instuarar su gobierno. Asimismo comenzaban las decapitaciones y los Grandes Blancos eran las primeras víctimas:

> ...se proclamaba el estado de sitio y la formación, por leva forzosa, de una milicia de dos mil hombres de color en estado de llevar las armas. Todo habitante que propalara falsos rumores, se mostrará enemigo de la *Libertad* (...) sería sumariamente ejecutado, incitándose a los buenos patriotas a la delación infidente (p. 120) [el subrayado es nuestro].

Por lo demás, se cambiaron los nombres de los lugares públicos más destacados y el de la propia ciudad por otros que aludían al proceso que se vivía. Por ejemplo, la plaza Sartines ostentaría el nombre de Place de La Victorie; la ciudad, el de Port-de-a-la Liberté. Y en nombre de la propia libertad se cerraban iglesias y se prohibía toda idolatría. La Guillotina comenzó a actuar en público con dos capellanes monárquicos, después se daba a recorrer la isla, bajando los peldaños de la escala social hasta alcanzar a los negros díscolos que se resistían, en virtud de un decreto que los definía hombres libres, a cultivar la tierra. Todo lo cual constituía una repetición temporal para el joven cubano.

La curva del ciclo llega a su culminación con la pacificación de la isla por el terror. La Convención ratifica a Víctor en su cargo, aprobando todas sus disposiciones.

El comisario contaba con un ejército de unos 10.000 hombres bien adiestrados. La confiscación de los bienes privados había llenado las arcas del Tesoro público, los almacenes estaban colmados de todo lo necesario por el establecimiento del *trabajo obligatorio*, apoyado este último por la Guillotina.

La caída de Robespierre el 9 termidor inicia la declinación de la curva cíclica. Para el marsellés vinieron días de desasosiego e intranquilidad por la inseguridad que sentía en su posición de comisario y la aparición en la isla de «nuevos investidos de poderes, con el semblante hosco, el gesto negador, cargando con misteriosas órdenes» (p. 135). La caída de la curva toma rasgos más precisos con la desmoralización del comisario de la Convención y de sus oficiales, que se iban acostumbrando «a dormir largas siestas bajo mosquiteros de tul, entre mulatas que les velaban el sueño, abanicándolos con pencas de palmeras» (p. 142).

Para completar el cuadro de la Guadalupe prerrevolucionaria habría sólo que añadir a lo expuesto la esclavitud de los negros en virtud del *trabajo obligatorio* decretado por Víctor y la nueva casta de Grandes Blancos que sustituía a la anterior. De este modo la corriente temporal cíclica, por toda esta serie de acontecimientos, se precipita hacia su punto de arranque.

Finalmente, el ciclo se cierra con la Institucionalización y la práctica del Corso. Nuevos proyectos tomaban forma en la mente del antiguo revolucionario, planes más realistas, más prácticos, más de acuerdo con su condición primera de hijo de panadero. A ese propósito llamaba a Esteban a su despacho para darle instrucciones de cómo llevar el *Libro de Presas* a bordo de una de las naves que se preparaban para el ejercicio del corso en el Caribe:

> ...llevarás el *Libro de Presas* de la manera siguiente: primera columna: PRODUCTO BRUTO; segunda columna: PRODUCTO DE VENTAS Y SUBASTAS (si las hubiere); tercera columna: 5 POR CIENTO PARA LOS INVALIDOS HABIDOS EN LAS NAVES; cuarta columna... (p. 146).

Así concluía el ciclo de una Guillotina bien prodigada y de una Libertad bastante escamoteada. Al final se volvía al principio. La figura de Víctor reproducía, muy fielmente, la del comerciante que se hubiese dedicado en La Habana al comercio de contrabando. Fijémonos que el ciclo no sólo se inicia en La Habana, sino que también se cancela allí con la transposición de la imagen del hacedor de revoluciones a la de su antigua estampa de comerciante contrabandista.

El ciclo de la Institucionalización y el Corso

> Hasta en el modo de tener la pluma, le quedaba algo del antiguo comerciante y panadero de Port-au-Prince (p. 146).

> Ahora regresarás a tu casa: al almacén de tu padre. Es un buen negocio, cuidalo. No sé lo que pensarás de mí. Acaso, que soy un monstruo. Pero hay épocas, recuérdalo, que no se hacen para los hombres tiernos... (p. 177).

El segundo ciclo corresponde al capítulo III del texto. Cronológicamente es una secuencia temporal del primero. En efecto, el período revolucionario, que había llegado a su apogeo e iniciado la curva de retroceso con el ablandamiento de los nuevos blancos, se institucionaliza. El ciclo que se abre con el corso revolucionario alcanza su culminación con la formación de los nuevos ricos de la isla y su prosperidad económica y agoniza con la destitución de Víctor Hughes por el Directorio. Debe señalarse que este curso temporal coincide, en parte, con el gobierno del Directorio en Francia.

La fase primera comienza a esbozarse con la preparación de la escuadrilla que se dedicaría al corso, irónicamente al mando del capitán Barthelemy, antiguo marino monárquico, nota que en sí conlleva un retorno a tiempos pretéritos. Prosigue con la práctica de esas actividades por los marinos corsarios, que, bueno es puntualizarlo, resultaba muy *sui géneris,* dado que la escuadrilla, por la debilidad de las naves que la componían, sólo se lanzaba contra la presa cuando la consideraba posible, en cuyo caso, si la carga

> ...era de poca monta, se tomaba cuanto fuera útil —incluyendo el dinero y pertenencias personales de la tripulación intimidada— y traíase al Ami du Peuple lo que sirviera. Luego se devolvía la nave al humillado capitán, que proseguía su rumbo o regresaba al puerto de procedencia para reportar su desventura. Si la carga era importante y de valor, había instrucciones de tomarla con nave y todo —y más si la nave era buena— y conducirla a Pointe-a-Pitre (p. 156).

El corso ejecutado sobre estas bases resultaba en un verdadera raterismo, pues aquellos hombres no se detenían ante los objetos de índole personal. Vale la pena insistir sobre este aspecto para tener una imagen exacta del corso que se practicaba al iniciarse este curso temporal. Cierto que la escuadrilla se cuidaba de no encontrarse con naves mayores, pero no se puede negar que no tenía escrúpulos en asaltar las naves pobres y maltrechas en las que siempre encontraba algo de que apoderarse, por ejemplo, «un ancla nueva, armas, pólvora, herramientas de carpintería, calabrotes...» (p. 156), de donde se prolongaba a los artículos personales: camisas, pantalones, tabaqueras de esmaltes o algún otro objeto que se considerara de algún valor para una posible venta futura. Claro está que este último renglón no era objeto de la contabilidad de Esteban. Esos objetos rapiñados servían para establecer un comercio entre los propios hombres de la marinería.

La gama del corso recorría así, desde las naves cargadas de toneles de vinos, hasta el bajel más miserable. Ninguna aprehensión detenía a aquellos hombres empujados, como estaban, por la ambición de riquezas.

Nos parece interesante destacar que uno de estos cargamentos de toneles de vinos le sirve al novelista para retrotraer a Esteban en el tiempo mediante evocaciones. El joven, sentado frente a los toneles, se entregaba a disquisiciones filosóficas en las que confería al Mediterráneo Caribe las mismas funciones que en épocas pretéritas habían sido propias del Mediterráneo europeo: la mezcla de culturas y las actividades comerciales. La escala temporal retrocede hasta la época en que fenicios, griegos, romanos y cartagineses recorrían las aguas del Mediterráneo europeo. Asimismo, Esteban, entre aquellas barricas, evocaba la mansión habanera con los almacenes aledaños. El tiempo refluye hasta colocarlo en su adolescencia. En cierto modo pudiéramos decir que la novela entronca, dadas estas regresiones, con *Viaje a la semilla,* del mismo modo que con *Los pasos perdidos* y *El acoso.*

Un poco más avanzada la curva ascensional de este ciclo por la frecuencia y efectividad de las actividades del comercio «revolucionario», conviene señalar uno de los renglones más escandalosos: la trata de esclavos. Aunque la Revolución había abolido la esclavitud y, por consiguiente, la trata, se daba el caso de que a los barcos negreros que se acogían a la bandera francesa a ese fin no se les otorgaba la libertad que establecía el decreto del 16 pluvioso; por el contrario, eran llevados a las colonias holandeses donde se les vendía en base a las disposiciones de Víctor Hughes:

> Francia, en virtud de sus principios democráticos, no puede ejercer la trata. Pero los capitanes de navíos corsarios están autorizados, si lo estiman conveniente o necesario, a vender en puertos holandeses los esclavos que hayan sido tomados a los ingleses, españoles y otros enemigos de la República... (p. 162).

Parecería que el tiempo se hubiese detenido en la época primera de la colonización, cuando corsarios y piratas se multiplicaban en las aguas del Mediterráneo americano. Ahora, sin embargo, era una Revolución la que auspiciaba el corso.

Con el ejercicio de esas actividades comerciales en gran escala, que resultaban altamente provechosas, se alcanza el punto más alto de este período. El corso, al principio poco diestro, perfeccionaba sus técnicas con vista a presas mejores, de ahí que los almacenes de Pointe-a-Pitre estuviesen colmados. Había sido necesario levantar nuevos almacenes que rodeaban la ciudad para dar cabida a lo que se traería en días futuros. Por otra parte, el corso dejaba de ser una actividad monopolizada por el gobierno de Víctor Hughes. Las empresas privadas compartían esas actividades. Los pequeños tenderos enriquecidos se convertían en armadores de barcos corsarios o formaban, reunidos con otros, sociedades y comanditas. Podía afirmarse que

> ...las *Viejas Compañías de Indias,* con sus arcas y alhajeros, se remozaban en este remoto extremo del mar Caribe, donde la Revolución estaba haciendo —y muy realmente— la felicidad de muchos. El Registro de Presas engrosaba sus folios con la enumeración de quinientas ochenta embarcaciones, de todo tipo y procedencia, abordadas, saqueadas o traídas a rastras por la flota (p. 169).

Es bastante obvio que, muy sultilmente, con las *Viejas Compañías de Indias,* el novelista, al mismo tiempo que lanza un valiente sarcasmo para los hacedores de revoluciones, nos está fijando un tiempo que se remonta a la época mencionada anteriormente, siglos XVI y XVII. Al menos, la época se revertía a la prerrevolucionaria de la Guadalupe. Allí todo era sobradamente conocido, lo único nuevo eran los nombres.

Resulta interesante notar cómo Carpentier va modificando los rasgos fisonómicos de Víctor de acuerdo con los aplazamientos del proceso. Al hombre delgado, de «rostro esculpido en fuertes relieves» (p. 102), sucedía el hombre grueso con «el espíritu del comerciante acaudalado que sopesa sus riquezas con deleitoso gesto» (p. 163).

Mas la culminación del ciclo también se señala desde el aspecto político. El marsellés había sido ratificado en su cargo por el Directorio. Su gobierno alcanzaba en la isla un matiz unipersonal. Y, en flagrante contradicción con la escala temporal, Víctor lograba ahora su aspiración pretérita de identificarse con Robespierre, pero «a su modo»:

> ...había querido *ser* Robespierre y *era* un Robespierre a su manera. Como Robespierre, en otros días, hubiese hablado de *su* gobierno, de *su* ejército, de *su* escuadra, Víctor hablaba ahora de *su* gobierno, de *su* ejército, de *su* escuadra (p. 163) [los subrayados pertenecen al autor].

Las operaciones comerciales del Robespierre del Caribe iban más allá de las del corso. El comisario había abierto una tienda mixta próxima a la plaza de la Victoria donde radicaba el monopolio de ciertos artículos. Al caer la tarde el marsellés solía pasar por aquel lugar al objeto de hojear los libros de contabilidad en «una oficina olorosa a vainilla, cuyas puertas arqueadas, guarnecidas de buenos herrajes, se abrían sobre dos calles esquineras» (p. 164). Observemos cómo todas las actividades revolucionarias, del mismo modo que sus pretendidas ideas sociales, habían quedado reducidas a esos libros de contabilidad, con lo cual el curso del tiempo refluye. Todo apunta a la época de las actividades comerciales de Víctor Hughes en Port-au-Prince. El novelista, con una visión muy definida de lo que es una revolución, nos hace girar dentro del acontecimiento en aplazamientos sucesivos y, por la misma razón, coloca frente al lector la verdadera idiosincrasia de los promotores de movimientos de esta índole.

La declinación del ciclo se inicia con la presión que los nuevos ricos ejercían sobre el comisario. Además, los militares, a los que el antiguo comisario de la Convención habia encumbrado, se sentían ahora más poderosos y seguros. Para completar el cuadro de la escenografía anterior a la Revolución, las logias volvían a abrir sus puertas, con lo cual parecía que resurgía de nuevo el fervor religioso de antaño. Por último, el nuevorriquismo y los flamantes oficiales intrigaban contra Víctor en Francia.

La caída de la curva cíclica se hace más patente con las fiestas en Pointe-a-Pitre. Al efecto de la representación de la *troupe* de Monsieur Fraucompré, se tomaba la plataforma en que estuviese instalada la Guillotina anteriormente como escenario, y se la emplazaba en la plaza de la Victorie. A la función acudía la nueva clase y

> ...cuando *la gente de menos hubo llenado los linderos del espacio reservado a la gente de más, separada de la plebe* por cuerdas forradas de terciopelo azul con lazos tricolores, *aparecieron los capitanes, cubiertos de entorchados, condecoraciones, bandas y escarapelas,* acompañados de sus *dudues* [este subrayado pertenece al autor, los anteriores son nuestros], enjoyadas, enajorcadas, consteladas de piedras buenas y piedras malas, plantas mexicanas y perlas de Margarita, hasta donde pudieran contarse (...) Víctor Hughes y sus funcionarios, en primera fila, rodeados de mujeres piadoras y solícitas, se hacían pasar bandejas de ponche y vinos sin volver las cabezas hacia las últimas filas, donde se hacinaban las madres de las barraganas afortunadas... (p. 173).

Con esto corona el escritor la vuelta al punto de partida, puesto que esta función teatral es una prueba fehaciente, no sólo de la desmoralización de los antiguos revolucionarios, sino también de las desigualdades sociales que de ningún modo habían desaparecido, a pesar de que Víctor, en la travesía hacia la Guadalupe a bordo de la *Pique,* hubiese querido disipar las dudas de Esteban con el Decreto del 16 pluvioso: «De ahora en adelante [había dicho], todos los hombres, sin distinción de razas, domiciliados en nuestras colonias son declarados ciudadanos franceses, con absoluta igualdad de derechos» (p. 109). Es bien notorio que, de hecho, la Revolución no había borrado las desigualdades sociales y que las mutaciones del proceso sólo habían servido para un cambio de nombres en las instituciones del poder y en quienes lo ejercían.

Por fin, a Víctor se le destituía de su cargo por el Directorio, lo que constituye un regreso al punto cero, al mismo instante en que se encontrara con sus almacenes de Port-au-Prince reducidos a cenizas. Así se clausura el ciclo temporal de la Institucoinalización y el Corso.

Se ha delimitado su curva ascendente con la preparación de las naves y primeras actividades; su apogeo, con la práctica del corso en mayor escala, el brote del nuevorriquismo y el resurgimiento de las logias; y su cancelación, con la continuación de las desigualdades sociales, la desmoralización de los nuevos ricos y la destitución de Víctor Hughes. En este momento el marsellés nos devuelve la imagen del comerciante de Port-au-Prince.

La Guillotina Seca

> Era posible, sin embargo, que la crucifixión no hubiese sido el peor de los suplicios inventados por el hombre (p. 191).
>
> ...había, debía haber, era necesario que hubiese en el tiempo presente —cualquier tiempo presente— un Mundo Mejor (p. 211).

El ciclo temporal de la Guillotina Seca comienza con la llegada de Esteban a Cayena y concluye, como se ha indicado ya, con su arribo a la ciudad de La Habana, cancelando de este modo el primer gran círculo de la novela, tanto en lo que se relaciona con su forma estructural, como con el desplazamiento espacial del joven. De modo que en Esteban, como en tantos otros personajes del autor, se cumple la ley del «eterno retorno».

Los escenarios en que se desenvuelve la acción de este ciclo son varios. Por orden de aparición en el texto la trama se desarrolla en la propia ciudad-isla de Cayena; Sinnamary, uno de los tres confinamientos para los deportados franceses dentro de la propia isla francesa; la ciudad holandesa de Paramaribo y otra vez el Caribe en su viaje hacia el punto de partida.

Aunque el ciclo es una secuencia temporal del anterior, es innegable, sin embargo, que el mismo se corresponde de lleno con el capítulo II, es decir, con el curso temporal cíclico de la Libertad y la Guillotina. Si el escritor en este último logra darnos una visión entera de la Revolución a la luz del día, con la guillotina levantada en la plaza o paseada por las distintas regiones del país o la isla, en una actividad febril, tajando cabezas allá o aquí; en el capítulo IV, o sea, en esta etapa que estudiamos, nos brinda, con la misma fidelidad, el otro lado del Acontecimiento al introducirnos en el espeluznante mundo de las prisiones ultramarinas francesas. Carpentier se detiene lo suficiente para describir minuciosamente este cuadro de aguafuerte en el que todos los componentes contribuyen en su máxima medida a su más cumplida creación.

De esta manera la propia sociedad de la isla entregada al juego y la bebida, con sus vestidos, además de trasudados, pertenecientes a épocas lejanas, presentaba un aspecto repulsivo. A esto había que sumar la presencia en las calles de los enfermos leprosos; del indio selvático, que venía a la ciudad a vender plantas medicinales a la vez que a prostituir a su mujer, y, por fin, la de los acadienses borrachos, que purgaban en esta colonia el delito de haber sido fieles a Francia. Estos elementos ennegrecían los tintes del cuadro citadino ya de por sí deprimente y monótono. Este es el espectáculo con el que comienza a esbozarse esta patética etapa de este lapso, en el que las notas más altas son la sordidez y la barbarie.

El comisario de la isla y sus colonias aledañas no presentaba mejor aspecto: «Tenía una estampa repulsiva, con su tez verdecida por una dolencia hepática y la ausencia del brazo izquierdo, que habían tenido que amputarle a consecuencias de unas mordeduras de verraco» (p. 183). Jeannet, que así se llamaba, se dedicaba al corso, aunque éste no alcanzaba la envergadura del practicado por Víctor Hughes. Aquí todo era pobre y mezquino.

Por otro lado, la propia ciudad era una isla-prisión. De aquí que si Esteban se había considerado un prisionero de la Revolución en la Guadalupe, en este siniestro lugar su pavor lo colocaba al borde del delirio:

> ...Ya no podía dormir una noche entera. Despertaba a poco de acostarse con la impresión de que todo lo oprimía: las paredes estaban ahí para cercarlo; el techo bajo, para enrarecer el aire que respiraba; la casa era un calabozo, la isla una cárcel, el mar y la selva murallas de una espesura inmedible... (p. 188).

Pero aquel panorama aumentaba en sordidez a medida que se penetraba en las colonias aledañas, donde los deportados recorrían la variadísima gama de todos los personajes en el «Gran Teatro del Mundo». Los había «diputados, emigrados, periodistas, magistrados, sabios, poetas, curas franceses y belgas...» (p. 183). Se decía que allí podían gozar de «tierras labrantías en abundancia y cuanto les fuera necesario para purgar, con el mayor decoro, las penas impuestas por los distintos gobiernos revolucionarios» (p. 183). Mas la realidad era que en esas tierras se les confinaba

> ...de modo arbitrario, sin autorización para moverse de allí, los deportados se hacinaban por nueve, por diez, en barracas inmundas, revueltos los sanos y los enfermos, como en pontones, sobre suelos anegadizos, impropios para todo cultivo, sufriendo hambre y penurias... (p. 183).

De suerte que allí no había funcionado la máquina de la guillotina, arma en todo caso preferible a la muerte lenta, de padecimientos y miserias, a que eran sometidos estos hombres. Es precisamente a ese vivir sin vida, a ese morir en suplicios de hambre, inanición, miseria y ulceración, a lo que se le designaba con el nombre de la Guillotina Seca.

Es bien evidente, pues, que el ciclo de la Revolución desde la cara infernal de sus prisiones alcanza su punto más alto en los siniestros y tenebrosos lugares de Sinnamary, Kurú y Cunnamana. La muerte era la compañera inseparable de los hombres enviados a esas colonias. Llegados allí, seguros de poder sobrevivir en medio de la naturaleza implacable, limpiaban los campos, abrían surcos y plantaban semillas con la ilusión de la cosecha. Pero pronto los minaba las fiebres o eran víctimas de las innumerables plagas que los acechaban. A esto había que sumar los espeluznantes e inescrutables objetos con que los negros del lugar los rodeaban por considerarlos intrusos en sus tierras. Empero, ahí no terminaba el suplicio de aquellos seres, devenidos ya en miserias humanas; todavía habían de sufrir la rapiña de los que venían con la promesa de traerles un médico, medicinas o alimentos, a cambio de lo cual les quitaban «el anillo de matrimonio, un dije, un medallón de familia» (p. 195).

Las vejaciones al ser humano no terminaban ni siquiera con la muerte. Los cuerpos sin vida eran tratados por las bestias de turno peor que los de las mismas bestias:

> ...para sepultar más rápidamente a los muertos del día, los soldados de la guarnición negra de Sinnamary les cavaban unas fosas escandalosamente insuficientes —saltando sobre el vientre de los cadáveres para meterlos a la fuerza en huecos donde apenas si cabría una oveja... (p. 196).

Es demasiado notorio que todos los detalles que confluyen en esta parte del capítulo IV contribuyen en medida plena para ofrecernos una fiel representación del cuadro de horror y barbarie que era Cayena. Por consiguiente, es obvio que el novelista tuvo un objetivo bien determinado al incorporar estos escenarios al libro: el de presentar con la mayor crudeza los horrores de las prisiones de la Revolución. No en balde había dicho Martínez de Ballesteros, al hablar del contrasentido en que devenía la Revolución allá en San Juan de Luz: «Tomaron la Bastilla para libertar a cuatro falsarios, dos locos y un maricón, pero crearon el presidio de Cayena, que es mucho peor que cualquier Bastilla...» (p. 98).

Pero el escritor también nos presenta en ese mundo de las prisiones lo contradictorio de los propios hombres hacedores de la Revolución, cuyos verdaderos principios, casi siempre, estuvieron reñidos con la corriente subterránea que los arrastraba, a cuya fuerza anónima debían someterse si querían sobrevivir. Uno de los ejemplos más notables es el del propio Billaud Varennes y sus ideas sobre la igualdad del blanco y el negro [8]. En poder de esta verdad, Carpentier dispara uno de los tantos sarcasmos que permean toda la novela, esta vez, sobre el «siglo de las luces» y su filosofía: Brígida, la amante de Billaud Varennes, «echada sobre un camastro (...) desnuda, *se abanicaba los pechos y los muslos* con un número viejo de *La Decade Philosophique*» (pág. 201) [el subrayado es nuestro]. Ya en *El reino de este mundo*, Ti Noel solía *sentarse* (el subrayado es nuestro) sobre los tres tomos de la *Gran Enciclopedia* para comer caña [9].

---

[8] Sobre cuestión tan interesante consúltese el artículo de Claude Dumas «*El siglo de las luces*, de Alejo Carpentier: novela filosófica», en *Homenaje*, pp. 336 ss.

[9] Carpentier, *El reino de este mundo*, p. 138.

> De modo que el tan decantado «siglo de las luces» aparece aquí, según la visión del autor, como un período en que perduran no pocas zonas oscuras, cobrando así el título un matiz de sarcasmo que orientaría toda la obra en el sentido de una crítica de la época y de su acontecimiento trascendental, la Revolución Francesa [10].

Con la llegada de Burnel, nuevo comisario del Directorio, parecería como si la curva retornara al punto inicial. Como Jeannet, Burnel renovaba el corso; y como Víctor Hughes en el instante en que llegara a la Guadalupe, se proponía apoyarse en el Decreto del 16 pluvioso para tomar la colonia holandesa de Surinam:

> ...secretamente respaldado por el Directorio, tenía el propósito de despachar agentes secretos a Surinam con el fin de promover allá una general sublevación de esclavos, al calor del Decreto de pluvioso del año II, para anexarse luego aquella colonia (p. 203).

Hay una repetición temporal en cuanto que hay una recurrencia de hechos ya vividos. El autor remata este ciclo de la barbarie con la nota muy sutil de los negros condenados, muy finamente, por los tribunales de Paramaribo —el mundo civilizado— a perder una pierna a manos del «mejor cirujano» de la colonia.

Esta fluencia temporal cíclica de la Guillotina Seca es, primariamente, una visión de la barbarie y condiciones de vida en las prisiones revolucionarias. Su primera fase se desarrolla en el mundo deprimente de la ciudad-prisión de Cayena; llega a la cima con las miserias, torturas y muertes de los prisioneros en las colonias aledañas; finaliza con el arribo de Burnel que, dado los hechos que se propone llevar a cabo, repite la llegada de Víctor

[10] Dumas, «*El siglo*... novela filosófica», p. 329.

Hughes a la Guadalupe. Es bueno no olvidar a este efecto que este ciclo es la otra cara del ciclo de la Libertad y la Guillotina.

Pero la trayectoria espacial del joven Esteban, testigo de estas peripecias de la Revolución, no se cierra hasta su arribo a La Habana, lugar de donde se presume había salido. Carpentier se aprovecha de su travesía por el Caribe con rumbo a este último lugar, para internarse en una disquisición filosófica sobre la búsqueda de la Tierra de Promisión por el hombre a lo largo de la historia de la humanidad.

Para Esteban, después de todos los aconteceres vividos, la búsqueda de la Tierra de Promisión resultaba ser uno de esos mitos imperecederos en su esencia, que cambia su conformación de acuerdo con las urgencias de la época. Luego de este planteamiento, el novelista hace un recuento, de ninguna manera exhaustivo, de lo que ese mito ha representado para el hombre a través de las varias épocas de la humanidad:

> ...los caribes habían imaginado ese Mundo Mejor a su manera, como lo había imaginado a su vez, en estas bullentes Bocas del Dragón, alumbrado, iluminado por el sabor del agua venida de lo remoto, el Gran Almirante de Isabel y Fernando. Habían soñado los portugueses con el reino admirable del Preste Juan, como soñarían con el Valle de Jauja, un día, los niños de la llanura castellana, después de cenarse un mendrugo de pan con aceite y ajo. Mundo Mejor habían hallado los Enciclopedistas en la sociedad de los Antiguos Incas, como Mundo Mejor hubiesen parecido los Estados Unidos, cuando de ellos recibiera Europa unos embajadores sin peluca, calzados con zapatos de hebilla, llanos y claros en el hablar, que impartían bendiciones en nombre de la Libertad (p. 211).

Esteban también había salido en busca de ese Mundo Mejor «y regresaba ahora de lo inalcanzado con un cansancio enorme, que vanamente buscaba alivio en la remebranza de alguna peripecia amable» (p. 211). Parecería que para Carpentier la Tierra de Promisión es inasible, puesto que ninguno de esos hombres que la soñaron, lograron materializar su encuentro, lo que deviene, sin duda, en una conclusión deceptiva. Esteban, su testigo más flamante, regresa de esa obstinada búsqueda, tanteando vanamente el recuerdo de un hecho generoso. Al final del capítulo, en el umbral de la casa familiar, el joven corona esa infructuosa concretización con una frase que al parecer resuelve el mito de la Tierra Prometida: «vengo de vivir entre los bárbaros» (p. 212).

Empero, es necesario añadir, con vista al mensaje final de la obra, tal como nosotros lo concebimos, que un poco más adelante, el joven expresa su nueva concepción del mito: «no hay más Tierra de Promisión que la que el hombre puede encontrar en sí mismo» (p. 223). Definición que no conlleva, en manera alguna, un sentimiento de egoísmo.

Agoniza, pues, el desplazamiento espacial de Esteban luego de haber vivido el ciclo temporal de la Guillotina Seca, que, no hay que olvidar, es la otra cara del fluir cíclico del tiempo que estudiamos con el nombre de la Libertad y la Guillotina. El joven había comenzado su gran trayectoria en la Habana, de donde pasa a Haití, después a Francia, la Guadalupe, Cayena y Paramaribo, para terminar con su regreso al principio.

La vuelta al Antiguo Régimen

> Se apiadaban sobre el destino de los esclavos, quienes, ayer mismo, habían comprado nuevos negros para trabajar en sus haciendas (p. 234).

Este ciclo temporal, que corresponde en parte al capítulo V de la obra, es una continuación en la línea recta del tiempo histórico, de los capítulos anteriores, tanto en lo que se refiere a Esteban, como a Sofía, personaje, este último, que se recupera para la acción novelesca. El ciclo constituye así una continuación de dos procesos temporales: uno, el del joven, que procede del capítulo IV y anteriores; el otro, el de Sofía, que pareció quedar detenido en el capítulo I. De ese modo, el escritor conjuga una dualidad, la de Esteban, que dado el acontecer histórico —véase la importancia de la historia— parece cerrar su movimiento espacial retornando a la casa familiar, y la de su prima, para quien se inicia, casi en su fin, su pequeño periplo histórico. Para el joven, el ciclo representa la conclusión y asimismo el retorno al principio, a lo vivido, a un recomenzar que se niega a reemprender; en cambio, para Sofía es el comienzo de lo que ella piensa que será su realización, no sólo en cuanto al logro de sus anhelos de mujer, sino, aún más, en su esencia misma de ser humano que busca la Tierra de Promisión.

De suerte que una vez más nos aseguramos de la habilísima técnica del novelista que conjuga en un mismo capítulo dos escalas temporales al parecer tan separadas. En realidad, en cierto modo Sofía no es sino una duplicación de Esteban, en cuanto que como éste anteriormente va a repetir la aventura en una rotación constante de los mismos acontecimientos y hasta de las mismas decepciones. Es la misma técnica aplicada a *El camino de Santiago*. Pudiéramos pensar que el joven es Juan el Indiano, que termina su trayectoria tempo-espacial; Sofía, Juan el Romero, que toma el hilo de la historia de las manos del hombre que le antecedió. Así «rigen, sincrónicas, las leyes de la recurrencia; los actos individuales, con sus inversiones y variantes, van componiendo figuras invariables... la historia circula sin desembocar nunca» [11].

En posesión de este secreto de la técnica del escritor, decidimos establecer el ciclo temporal de la vuelta al Antiguo Régimen que se estira hasta la salida de Sofía para Cayena. Corresponde en el libro hasta el subcapítulo XL del capítulo V; por último, la Revolución sensual de Sofía que abarca el fluir cíclico del tiempo desde este último subcapítulo hasta la sección XLIV del capítulo VI.

De acuerdo con lo señalado, estudiaremos ahora «la vuelta al Antiguo Régimen». En efecto, al llegar Esteban a la mansión habanera se enfrenta a una constelación de elementos que reflejan cambios. Pero, aclaremos, esas mutaciones devuelven la estabilización, el orden, que en concordancia con la filosofía de Carpentier debe seguir a la etapa revolucionaria de las prisiones de Cayena, el otro lado de la Revolución, de donde viene Esteban. Por otra parte, también debe seguir al ciclo revolucionario que representaba la mansión al final del capítulo I y al ciclo de la Institucionalización que debió haber vivido luego del regreso de Sofía. El escritor en este capítulo V ha atado con una gran maestría los cabos que había dejado sueltos.

La casa en sí misma es un mundo nuevo para Esteban. Todo le parecía extraño. Se sentía ajeno a las tapicerías, las grandes lunas biseladas, «los anchos armarios y bode-

---

[11] Harss, *Los nuestros*, p. 64.

gones embetunados» (p. 215) del comedor, e incluso a la propia biblioteca, donde los tomos guardaban un orden metódico.

A esas transformaciones no eran ajenos los seres que poblaban aquel mundo de la mansión habanera. Sofía, la compañera de juegos de otros días, se había convertido en toda una mujer. Se había casado con un joven descendiente de una de las más antiguas e influyentes familias de la isla. Carlos, su primo, era la cumplida estampa de un próspero comerciante; más maduro, más importante y «acaso un poco más grueso».

Esteban a cada paso descubría un mundo inimaginable. El almacén había añadido, a su antiguo y variado muestrario de mercaderías, nuevos productos que acrecían el negocio, que «estaba triplicando, quintuplicando los beneficios» (p. 127). Allí estaban dos respetables escritorios en los que se observaba el mismo orden de la casa aledaña. Como en la época del padre, cada objeto ocupaba su lugar exacto. Detrás de los escritorios, en la pared revestida de caoba, colgaba un retrato al oleo del padre y «Fundador de la Casa, de ceño fruncido —como lo tenía siempre— respirando la honorabilidad, la severidad, el espíritu de empresa» (p. 226).

Las conspiraciones de sus primos y amigos allegados en el seno de las Logías completan el cuadro del Antiguo Régimen. Para Esteban, el tiempo había retrocedido, se había detenido en un instante ya vivido en el propio mundo de la casa-ciudad-habanera.

Nos importa insistir en que la casa refleja un ambiente que es una mezcla del que señoreaba en ella a la muerte del padre y de aquel que implantara Víctor Hughes una noche en que se dispusiera a desembalar cajas. El orden, el lujo, las nuevas normas establecidas, el almacén aledaño con los escritorios y el retrato del padre, además de las

Logias, que cumplían su función como centros conspirativos, constituyen todo un repertorio de elementos que reafirman la recurrencia temporal.

En ese ambiente, aquel peregrino remoto tenía que contarles a sus primos las experiencias vividas. El joven habló del proceso revolucionario y sus mutaciones, las infinitas matanzas en toda Francia, en la Guadalupe y Cayena. A esos muertos dijo,

> ...había que añadir *esos cadáveres vivientes que eran los hombres de vida rota, de vocación frustrada, de obras truncadas, que por siempre arrastrarían una vida lamentable, cuando no hubiesen tenido la energía necesaria para suicidarse* (p. 223) [el subrayado es nuestro].

Interesa llamar la atención del lector sobre estas palabras de Esteban, ya que, como veremos al final de la obra, el propio joven y Sofía participan de esa categoría: son dos exiliados, dos vidas rotas pobremente zurcidas, producto de una Revolución que se había empeñado en alcanzar lo inalcanzable.

Termina su relato el joven con un tono de cansancio y desilusión que reflejan de manera bien elocuente sus últimas frases:

> ...esta vez la revolución ha fracasado. Acaso la próxima sea la buena. Pero, para agarrarme cuando estalle, tendrán que buscarme con linternas a mediodía. Cuidémonos de las palabras demasiado hermosas, de los Mundos Mejores creados por las palabras. Nuestra época sucumbe por un exceso de palabras (p. 223).

Como antaño, ahora también se producía un choque en la mansión habanera, pero el encuentro que se plantea en este instante ocurre entre el símbolo de una acción que no ha confrontado la realidad, Sofía —aunque dice estar informada «*mejor* que él [su primo]» de lo ocurrido—, y el del ideal derrotado, Esteban (el subrayado es del autor). Para Sofía

> ...no podía vivirse sin un ideal político; la dicha de los pueblos no podía alcanzarse de primer intento; se habían cometido graves errores, ciertamente, pero esos errores servirían de útil enseñanza para el futuro (p. 224).

De esta manera, comienza a desarrollarse la curva ascendente de este ciclo, que llega a su culminación con las noticias de que el Antiguo Régimen se restablecía también más allá de los mares que rodeaban la isla. Obsérvese que nuevamente la casa dicta la dimensión temporal. En la Guadalupe habían reaparecido los Grandes Blancos de los días idos que «libraban una guerra abierta a los Nuevos Grandes Blancos, recuperando sus fueros de otros tiempos» (p. 235). Por lo demás, en todas partes existía una propensión a restablecer el Antiguo Régimen. Víctor Hughes había sido designado agente del Directorio en Cayena. Pero para asegurar a los habitantes de la isla de sus nuevos rumbos en política,

> ...había llegado (...) *con una banda de música ostensiblemente instalada en la proa de su barco —allí mismo donde, antaño, se había erguido la guillotina* llevada a la Guadalupe, en tremebunda advertencia para su población—. Ahora habían sonado alborotosas marchas de Gosee, canciones de moda en París, rústicas contradanzas de pífano y clarinete, en el lugar donde seis años antes se había oído tantas veces el siniestro ruido de la cuchilla caída de sus montantes, cuando era probada por Monsieur Anse (p. 236) [el subrayado es nuestro].

Obviamente, el escritor destaca las recurrencias del tiempo con las repeticiones de los hechos históricos. Parecería que nada hubiese ocurrido. Hasta los mismos hombres, con el nuevo matiz de época que se transparentaba, presentaban sus estampas pretéritas o se ajustaban a ellas. El mundo se encontraba de manera muy entera en una fecha muy anterior a la que asomaba en el calendario, que por cierto anunciaba el fin de un año y de un siglo.

Mas al cuadro se le van a sumar nuevos elementos para reforzar la fluencia del tiempo en un sentido inverso, es decir, para completar el marco escénico de la casa en el comienzo de la novela. Por ejemplo, una epidemia de cólera azotaba la ciudad de la Habana. Jorge, el esposo de Sofía, enfermaba y Sofía cuidaba de él con la misma ternura que un día desplegara con Esteban, cuando éste sufría los ataques de asma. Con ese motivo, la casa se veía concurrida por personas amigas, muchas de las cuales blasonaban de ideas filantrópicas —como antes Víctor y Ogé— cuya vigencia pertenecía al pasado. Esteban, muy a propósito, evitaba las conversaciones que lo devolvían a un pretérito para él cancelado y que, por demás, no se avenían a

> ...este medio donde todo parecía organizado para neutralizarlas. Se apiadaban sobre el destino de los esclavos quienes, ayer mismo, habían comprado nuevos negros para trabajar en sus haciendas. Hablaban de la corrupción del gobierno colonial quienes medraban a la sombra de esa misma corrupción, propiciadora de beneficios. Comenzaban a hablar de una independencia posible quienes mucho se hubieran complacido en recibir algún título nobiliario otorgado por la Mano Real. Generalizábase aquí, entre las clases pudientes, el mismo espíritu que había llevado a tantos aristócratas, en Europa, a erigir sus propios cadalsos. Con cuarenta años de

> retraso leíanse libros propiciatorios de una Revolución que esa misma Revolución, lanzada por rumbos imprevistos, había desactualizado... (p. 234).

De suerte que en el ámbito americano se vivía en un tiempo que parecía haberse frenado cuarenta años antes. La recurrencia de los hechos cotidianos subraya esa paralización temporal. Jorge agravaba, aproximándose el desenlace. Como en el pasado, llegó la muerte y con ella el luto. La casa, pensaba Esteban, se cerraría como entonces «reduciendo el círculo familiar a sus exactas proporciones... se regresaría, acaso, al desorden de antaño...» (p. 239). Luego de cumplir con las obligaciones funerarias, hubo una gran cena que remedaba la que habían tenido después de la muerte del padre. Además, una gran exaltación se apoderaba de la isla con los rumores de una posible sublevación de esclavos a propósito de la propaganda francesa. Sofía y Carlos se ausentaban frecuentemente de la casa con motivo de sus actividades conspirativas. Y como antes el ciclón, un aguacero, con fuertes rachas, rompía el orden establecido.

Véase, pues, como la copiosa serie de hechos que concurren son repeticiones de una cotidianidad ya vivida al comienzo del texto, hechos que, entonces, desencadenaron la fuga de los jóvenes al final del primer capítulo. A la epidemia de cólera había seguido la enfermedad y muerte de Jorge, los intrusos en la casa, las conspiraciones, la cena después de los funerales, la inquietud en la isla por la propaganda francesa y, por fin, el fuerte aguacero que repite el ciclón. Un repertorio de acontecimientos semejantes había terminado ocho años antes con la aventura de Esteban. Esta vez, empero, era Sofía la que abordaba el *Arrow* para emprender su peripecia.

> Iba hacia quien le había dado una conciencia de sí misma y que, en carta traída por aquel gimiente que abajo quedaba, le hubiese hablado de su soledad en medio de los triunfos. Allá donde él estaba había mucho que hacer; no podía un hombre de su temple sino estar madurando grandes empresas: proyectos, en los cuales pudiese cada cual hallar su cabal medida... (p. 247).

En la casa, como ocho años antes, cundía el desorden. Se veía hollada por la policía que buscaba a Sofía, pero era a Esteban a quien encontraba. Así, con la partida de Sofía para Cayena en busca de su Tierra de Promisión y de Esteban rumbo a Ceuta, termina este ciclo temporal. Positivamente, ambos iban, aunque en direcciones opuestas, hacia la misma meta. Sofía lo ignoraba por no haberse cuidado de los Mundos Mejores construidos con palabras.

El ciclo es, pues, un calco del curso del tiempo que marca el Antiguo Régimen al comienzo del libro en la casa-ciudad-mundo-habanero. Pero esta reversión del tiempo permea los escenarios que están montados sobre ella: Francia, la Guadalupe y Cayena.

La revolución sensual de Sofía

> Cuidémonos de las palabras demasiado hermosas: de los Mundos Mejores creados por las palabras. Nuestra época sucumbe por un exceso de palabras... (p. 223).

El ciclo arranca con Sofía en viaje a Cayena vía a la Guaira y Barbados. Concluye con la caída en la reacción.

Sofía inicia su periplo con una gran sensación de Libertad. Había roto las cadenas de un mundo cotidiano y pequeño, donde, en realidad, no había alcanzado el sentido de su auténtica feminidad, mucho menos había podido lograr la oportunidad de encontrarle el significado a la vida en aquello para lo cual ella se sentía justamente capaz: la acción. Con la esperanza puesta en un futuro inmediato, tenía la sensación de que

> ...pronto empezaría el gran quehacer, esperado durante años, de realizarse en dimensión escogida. Conocía nuevamente el gozo de hallarse en el punto de partida; en los umbrales de sí misma, como cuando se hubiese iniciado, en esta nave, una nueva etapa de su existencia... (p. 257).

El viaje, con sus componentes —el encuentro con los presos políticos en la Guaira, masones, que se decía habían participado en la asonada de San Blas, y la paz, quietud y tolerancia que habían palpado en Bridgetown—, contribuyen a estimular sus ilusiones y vigorizan el perfil ascendente de la curva. Sofía no dudaba que

> ...el acontecimiento estaba en marcha. No se había equivocado ella al percibir su inminencia. Ahora estaba más impaciente que antes de alcanzar el término de su viaje, con el temor de llegar demasiado tarde: cuando el hombre del Gran Quehacer estuviese ya en acción apartando los verdores de las selvas, como los hebreos las aguas del Mar Rojo. Confirmábase lo que tantas veces le hubiese dicho Esteban: que Víctor, ante la reacción termidoriana, estaba penetrando, con sus constituciones traducidas al español, con sus Carmañolas Americanas, en esta Tierra Firme de América, llevando a ella, como antes, las luces que en el Viejo Mundo se apagaban. Para entenderlo bastaba mirar la Rosa de los Vientos: de la Guadalupe, la turbonada había soplado a las Guayanas, corriendo de allí a esta Venezuela que

> era la ruta normal para pasar a la otra banda del continente... (p. 259).

La revolución se proyecta así en el interior de Sofía. Ni que decir hay que en su exaltación la realidad le reflejaba lo que ella quería ver, viviendo una Revolución que ya se había cancelado a sí misma.

Las experiencias que viviría en Cayena estaban, sin embargo, en el extremo opuesto del mundo que su sensualidad desbordada y su sentida libertad le habían hecho concebir. Por esto hay que puntualizar, dada esta sensualidad e idealismo de la joven, que esta revolución que ella atraviesa es muy subjetiva, cuya culminación sólo se obtiene mediante sus empeños de mujer y no a los de su condición de revolucionaria de acción.

A su llegada a Cayena ocurría su primer descalabro: Víctor no acudía a recibirla. Tampoco iría, como lo hubiese imaginado, a la casa de Gobierno. Se le trasladaría a una hacienda situada a unas pocas millas de navegación de la ciudad. Y mientras la barca bogaba hacia este último lugar, el joven oficial Sainte Affrique le contaba los últimos progresos alcanzados por la colonia desde que Víctor se hubiese hecho cargo de su gobierno:

> ...se había dado un nuevo impulso a la agricultura; repletos estaban los almacenes y en todas partes respirábanse aires de paz y bonanza. Casi todos los deportados habían sido devueltos a Francia, quedando en Iracubo, para recuerdo de sus padecimientos, un vasto cementerio cuyas tumbas ostentaban los nombres de revolucionarios famosos... (p. 263).

Aquellas palabras del joven oficial, que denunciaban un mundo de orden y prosperidad donde los revolucionarios sólo asomaban en el color gris de sus sepulturas, cuando las tuvieran, habrían sido suficientes para decepcionar a Sofía, para traerla a la realidad. Mas el impulso de su sensualidad, la búsqueda de la acción, la mantuvieron al margen del mundo que conformaban las palabras del oficial. Tampoco se impondría de ello ante la casona de estilo alsaciano con amplios ventanales que habitara Víctor, ni frente a las negras que solícitas la esperaban para ayudarla a desempacar. Todos los sentidos de la mujer estaban sintonizados con una imagen: la de Víctor Hughes, el hombre. Por fin, una chalupa llegaba. Entre las sombras del atardecer se columbraba una figura de militar y un sombrero de plumas, pero antes de que aquella figura pudiera concretarse y alcanzarla, una piara de cerdos venía al encuentro de la joven estropeándole y enlodándole el vestido tan celosamente seleccionado para esperar al hombre que había idealizado. Víctor Hughes, para disipar las bestias, daba planazos a diestra y siniestra.

Es de todo punto incontrovertible que el autor no prodiga a Sofía ninguna generosidad. Es un gran sarcasmo que esta mujer, que sale por primera vez al Gran Ruedo del Mundo para incorporarse al Gran Quehacer, vaya a dar directamente con una piara de bestias entre las cuales se le pierde, como una bestia más, la figura que en su fantasía de mujer alcanzara alturas insospechadas.

De vuelta, frente a Víctor, Sofía advertía que el hombre había engordado un poco, pero también pasaba desapercibida para ella la perfecta estampa del cultivador acomodado que reflejaba su figura. Tampoco reparó, cuando pasaron al comedor,

> ...que dos fámulas acababan de poner candelabros sobre la mesa de una cena fría, servida en vajilla de plata tan espesa que sólo podía provenir de una flota donde

> hubiese viajado algún Virrey de Méjico o del Perú... (p. 265).

Es bien evidente que el escritor ha ido acumulando, de una manera sutil, una serie de detalles que componen un lienzo que para nada coincide con el que Sofía se había formado subjetivamente. De aquí que este ciclo revolucionario se proyecte sólo en el interior de la joven. Sin percatarse de ello, al pequeño interregno del desorden a que había dado lugar su fuga de la mansión habanera había seguido, en rigor, su precipitación en el Antiguo Régimen, tan antiguo, que el novelista no tiene empacho en identificar a Víctor Hughes con un virrey del período colonial.

Empero, la fantasía es parte de la realidad, y Sofía, nadie puede negarlo, estaba viviendo su propia revolución; por eso, hasta tanto no se produzca el choque con la realidad objetiva, retendremos el ciclo con esa denominación. Por lo demás, hemos visto un ciclo semejante a éste en *El reino de este mundo,* vivido por Paulina Bonaparte, aunque claro está que existen objetivos de otra índole en Sofía que no se advierten en la primera.

El autor dedica toda una parte del subcapítulo XLIV para describirnos la felicidad de Sofía lograda a través de la complacencia de su sensualidad. La joven se había convertido en otra mujer dueña de sí misma: «colmada la carne volvía hacia las gentes, los libros, las cosas, con la mente quieta, admirada de cuan *inteligente* [el subrayado es del autor] era el amor físico» (p. 267). Devuelta a lo cotidiano, no se reflejaba en ella la ansiedad de otros días. Aturdida por el logro de la felicidad, casi llegaba a justificar el correr de un tiempo en que se notaba la ausencia del «Gran Quehacer». Es bien palpable que esta felicidad de Sofía en el disfrute pleno de sus anhelos de mujer, constituye la cúspide de este ciclo temporal.

Las actividades de Víctor, dedicado por completo a «obras de regadío, abriendo caminos, activando los tratos comerciales con Surinam, desarrollando la agricultura en la colonia» con una largueza y generosidad tal que «su gobierno era calificado de paternal y sensato» (p. 268), reafirman nuestra idea de que Sofía se encontraba de lleno en el Antiguo Régimen, del cual nunca había salido. Mas, a pesar de esa realidad que ella ignoraba, tenía la sensación de ser «*útil*» (el subrayado es del autor). Esperaba el momento de «realizar grandes cosas... junto al hombre a quien se había atado» (p. 268). Su visita a la ciudad de Cayena la hizo descender en picada para tropezar con la realidad: la Reacción.

Ello es que la joven vive su primera fase con los estímulos exteriores e interiores que alimentan sus esperanzas de incorporarse al «Gran Quehacer» y sus ansias de unirse al hombre que había alertado su feminidad; su culminación con la satisfacción plena de su sensualidad. La toma de conciencia de la realidad precipita el retroceso de la curva hasta cerrar el ciclo.

La Reacción

> ¡Y pensar que más de un millón de hombres ha muerto para destruir lo que hoy se nos restituye! (p. 269).

La curva de este ciclo temporal principia a delinearse con la llegada a Cayena de un ejército de frailes y monjas. Sofía, sorprendida ante el espectáculo, se adelantó a la Casa de Gobierno. El suizo Sieger al verla exclamó:

> ¡Hermosa capuchinada en verdad, señora mía! ¡Curas para todas las parroquias! ¡Monjas para todos los hospitales! ¡Volvieron los tiempos de las procesiones! ¡Tenemos Concordato! ¡París y Roma se abrazan! ¡Los franceses vuelven a ser católicos! Hay gran misa de acción de gracias en la capilla de las Religiosas Grises. Allá podrá usted ver a todos los señores del gobierno con sus mejores uniformes, agachando la cabeza bajo los latines eclesiásticos... (p. 269).

Era, en efecto, el comienzo de la desilusión para Sofía. La curva de ascenso toma relieves más vigorosos con el maltrato a los sacerdotes juramentados que eran perseguidos y escarnecidos. Mientras la joven consideraba que estos sacerdotes debían ser protegidos por el comisario, puesto que ellos habían abrazado los ideales de la Revolución, Víctor se limitaba a dar órdenes para que fuesen embarcados rumbo a Francia, donde tampoco nadie quería «saber ya de curas juramentados» (p. 270), con lo que se daba una vuelta en redondo en materia religiosa.

A partir de este momento, los acontecimientos de la reacción se precipitan con el consiguiente acrecimiento del desencanto de Sofía, al mismo tiempo que perfilan el apogeo del curso cíclico. El gobierno de Napoleón promulgaba la Ley del 30 Floreal del Año X que restablecía la esclavitud en las colonias francesas. La situación se complicaba al promulgarse el Decreto del 5 mesidor «que prohibía la entrada en Francia de todo individuo de color» (p. 272).

Es bien patente que se volvía a la misma situación en que se encontraba América antes de la Revolución. Concluía la obra del Acontecimiento. La Revolución era, en sí misma, una gran espiral, por la cual fluía la corriente del tiempo que, después de vueltas infinitas que habían barrido con multitud de vidas, mutilando otras tantas, volvía a su punto inicial.

Retornaba la esclavitud que, en rigor, nunca había desaparecido, pero volvían también las cimarronadas. Y Víctor empezaba los Grandes Trabajos. Cientos de negros llegaban a la hacienda para «arar, cavar, revolver, ahuecar, rellenar las tierras robadas a la selva en dilatadas extensiones» (p. 275) en un desafío desesperante contra una natuarleza agobiante e incontrolable en su exuberancia. A eso quedaba reducido el «Gran Quehacer».

Sofía, ante la actitud tomada por Víctor Hughes, ajena al proceso revolucionario de la Guadalupe, se asombraba de lo inasombrable, puesto que el comisario volvía a ser ahora en el «Régimen de la Reacción» el mismo ser implacable e inescrupuloso de los días del Terror durante el proceso revolucionario. Bien elucidadas han quedado ya las cuestiones de cómo él había tomado la Guadalupe y cómo había funcionado la Libertad para los esclavos en el Nuevo Mundo, por lo cual consideramos que no podemos hacernos eco de las palabras de Sofía, quien, por otra parte, no había asistido al proceso convulsivo. De ahí que nadie pueda impugnar que estas palabras de la joven carecen de todo fundamento y sólo es posible interpretarlas como un sarcasmo más del novelista.

> El hombre que había vencido a Inglaterra en la Guadalupe; el Mandatario que no había retrocedido ante el peligro de desencadenar una guerra entre Francia y los Estados Unidos, se detenía ante el abyecto Decreto del 30 Floreal. Había mostrado una energía tenaz, casi sobre humana, para abolir la esclavitud ocho años antes, y ahora mostraba la misma energía en restablecerla... (p. 274).

Luego de una cimarronada de los esclavos de la hacienda de Víctor Hughes, el escritor nos presenta a este personaje en su último papel, acaso, en el único que siempre había representado en el «Gran Ruedo del Mundo»: el de ciego —a consecuencia del Mal Egipcio que había contraído en la selva llevaba dos pedazos de carne de ternera sobre los ojos—. De modo concluyente puede afirmarse que el antiguo comisario de la Convención nunca había sido dueño de sí mismo, ni aun durante la aborrecible época del Terror, a la que tanto él como Sofía, repetimos, ausente esta última del Acontecimiento, quieren darle una magnitud que nunca tuvo.

> En menos de diez años [decía Víctor] creyendo maniobrar mi destino, fui llevado por los demás, por *esos* que siempre nos hacen y nos deshacen, aunque no los conozcamos siquiera, a mostrarme en tantos escenarios que ya no sé en cual me toca trabajar. ¡He vestido tantos trajes que ya no sé cual me corresponde! Pero hay uno que prefiero a todos los demás: éste. Me lo dio el único hombre a quien, alguna vez, puse por encima de mí. Cuando lo derribaron dejé de entenderme a mí mismo. Desde entonces no trato de explicarme nada. Soy semejante a esos autómatas que juegan al ajedrez, andan, tocan el pífano, repican el tambor, cuando les dan cuerda. Me faltaba representar un papel: el de ciego... (p. 283).

No estaría de más recordar que cuando se iniciaba su momento cumbre, durante el poder de la Convención, Esteban se había asombrado de cómo este hombre podía aceptar las órdenes más arbitrarias sin la más ligera vacilación, sin el menor «examen crítico de los hechos, negándose a ver las más flagrantes contradicciones; fiel hasta el fanatismo... a los dictámenes del hombre que lo hubiese investido de poderes» (p. 126). Víctor, auténtico símbolo de la Revolución en América, había enceguecido en el instante en que entró en el vértigo del torbellino. Desde ese momento dejó de razonar, no quiso explicarse a sí mismo ni discutir los acontecimientos. Su voluntad, como la del resto de los actores, no era libre. Por eso aceptó y decretó degollinas y contradicciones con una impetuosidad ciega, como si él y aquél que hubiese colocado en un pedestal, muy pretenciosamente, fuesen los únicos capaces de maniobrar eficazmente, los únicos impuestos de la justicia verdadera para transformar la faz del reino de este mundo. Por eso tenía que responder a Esteban ante los justificados reproches de éste: «Una revolución no se argumenta, se hace» (p. 127). Sin embargo, los petulantes arquitectos de la nueva «Tierra de Promisión» no contaban con otro instrumento para lograrlo que el de la guillotina. Lamentablemente, la solución desde entonces no ha cambiado: siempre para la búsqueda de un «Mundo Mejor» se acude a la eliminación física y espiritual del hombre como único medio posible de alcanzarlo Las revoluciones —desde la francesa de 1789 hasta las más recientes del siglo XX—, en concordancia con la visión filosófica del fluir temporal que dentro de este fenómeno pareciera tener el autor, todas falsean sus principios al derivar hacia la categoría de regímenes totalitarios, desplegando, como tales, una horrenda maquinaria de persecuciones, mutilaciones y crímenes al objeto de alcanzar un rápido mejoramiento del Hombre, lo que, a todas luces, es un absurdo. La intuición de Carpentier, que, bueno es aclarar, no es la única dentro del campo de la intelectualidad hispanoamericana [12], es de un valor inestimable

[12] A este efecto conviene brindar al lector las palabras de Octavio Paz en *Postdata* (México: Siglo XXI Editores, S. A., 1970), pp. 93, 94, 95, 100, 101. Luego de estudiar el problema de México en particu-

en este Presente; las razones son bien obvias. De ahí que proyecte al antiguo comerciante marsellés, símbolo de la fuerza bruta del Acontecimiento, como una figura ridícu-

---

lar y el de las civilizaciones oriental y occidental de modo muy general, expone: «Tres conclusiones se desprenden de mi análisis: en primer término, la crisis de México es una consecuencia del cambio en la estructura social y de la aparición de nuevas clases, es una crisis del México desarrollado; en segundo lugar, *sólo una solución democrática permitirá que se planteen los graves problemas del país, en especial el de la integración del México subdesarrollado o marginal, y que se adopte una política de verdad nacional,* lo mismo en el exterior que en el interior; por último, si *el régimen impidiese la solución democrática, el resultado no sería* el *statu quo,* sino una situación de inmovilidad forzada que terminaría por provocar una explosión y *la recaída en el ciclo de la anarquía a la dictadura.*

»No faltará quien advierta que en este esquema no aparece la otra solución, la extrema: *la solución revolucionaria.* Sobre esto ya me he explicado en estas páginas. Además, depende de lo que se entienda por revolución: si es lo que ha entendido Occidente desde el nacimiento de la Edad Moderna, ya he expuesto en varias obras (...) mi creencia: asistimos al fin de la época de las revoluciones en los países desarrollados. ¿Y en los subdesarrollados? Sin duda nos aguarda un período de grandes revueltas y cambios profundos; esas transformaciones serán inmensas, pero no sé si sea legítimo llamarlas revoluciones en el sentido riguroso del término. Experimento la misma duda, por lo demás, ante las revoluciones de esa primera mitad del siglo. (...) Llámeselas como se quiera, lo cierto es que son movimientos [se refiere a las revoluciones en los países subdesarrollados] que, al triunfar, deben enfrentarse al problema del desarrollo y que, para resolverlo, sacrifican sus otros objetivos sociales y políticos. En este caso, la revolución no es un resultado del desarrollo, sino un método para acelerarlo. *Ahora bien, todas esas revoluciones, de la rusa a la mexicana, internacionalistas o nacionalistas, degeneran en regímenes burocráticos más o menos paternalistas y opresores.*»

Más adelante se lee: «Nadie sabe la forma del futuro: es un secreto —esa es la enseñanza de este medio siglo de trastornos— que no está ni en los libros de Marx ni en los de sus adversarios. Pero podemos decirle algo a ese futuro que en alguna parte construyen unos muchachos apasionados y terribles: *toda revolución sin pensamiento crítico, sin libertad para contradecir al poderoso y sin la posibilidad de sustituir pacíficamente a un gobernante por otro es una revolución que se derrota a sí misma. Un fraude.* Mis palabras irritarán a muchos; no importa, el pensamiento independiente es casi siempre impopular.

la y extravagante, matices que el escritor pone muy de relieve al final cuando le hace representar el papel de «parricida de tragedia antigua» (p. 284), medio vestido de comisario de la Convención con las dos lascas de ternera fresca sobre los ojos. Lo que prueba de manera irrefutable que las palabras de Víctor sólo pueden ser aceptadas como valientes sarcasmos del escritor cubano.

En la última discusión con Sofía, ya desilusionada, Víctor Hughes admitía que «la Revolución había trastornado a más de uno». La joven, sin acabar de comprender el proceso revolucionario, le replicaba: «Es esto, acaso, lo magnífico que hizo la Revolución: trastornar a más de uno...» Y terminaba con una frase cargada de significación: «Ahora sé lo que debe rechazarse y lo que debe aceptarse» (p. 285). El novelista no explica qué es lo que debe rechazarse y lo que debe aceptarse, pero obsérvese que esta frase fue pronunciada unos instantes antes de que Sofía se entregara al joven oficial Sainte-Affrique en un afán de purgar su cuerpo, lo que de manera incuestionable elimina toda duda sobre su interpretación.

Con el viaje a Burdeos, y luego a España, termina la trayectoria espacial de Sofía, así como los dos últimos ciclos: el de la revolución sensual de Sofía y la caída en la reacción. La culminación de este ciclo se alcanza con la Ley del 30 floreal y el Decreto del 5 mesidor. Este curso cíclico no se cierra, pero sabemos que la curva tiende a la regresión llegando hasta la época de los virreyes en América, o sea, el Antiguo Régimen. Con él aparece

---

Hay que renunciar definitivamente a las tendencias autoritarias de la tradición revolucionaria, especialmente de su rama marxista. Al mismo tiempo, hay que romper los monopolios contemporáneos —sean los del Estado, los partidos o el capitalismo privado— y encontrar fórmas, nuevas y realmente efectivas, de control democrático y popular lo mismo del poder político y económico que de los medios de información y de la educación» [el subrayado es nuestro].

el comienzo de la novela, cerrando así otro de los tantos círculos estructurales de la obra: «el ciclo de una larga enajenación» (p. 286).

CONCLUSION

> No hay más Tierra Prometida que la que el hombre puede encontrar en sí mismo... (p. 223).

La novela concluye en Madrid, donde aparece como última figura Carlos, que ha acudido a ese lugar en un intento de reconstruir las vidas de Esteban y Sofía, que vivían, desde hacía algún tiempo, en una casa de la calle Fuencarral. Con ese propósito, el joven se acercaba a las personas que por sus oficios o profesiones habían estado en contacto con su hermana y su primo hasta el día 2 de mayo de 1808, día en que habían desaparecido en el motín popular que se levantaba en la capital española en contra de las tropas de Napoleón Bonaparte.

Carlos se había informado, por los datos acumulados, de la vida retraída que llevaban los dos jóvenes en Madrid. Recogidos durante el invierno, tomaban «sus comidas en la habitación de ella, con las butacas arrimadas a un brasero» (p. 294). En los días cálidos del verano se les veía paseando en coche y alguna vez en las fiestas de San Isidro, pero resaltaba la incomunicación con el exterior. Aquella casa era una isla resignada y sosegada dentro de la afanada y ajetreada ciudad.

Llegaba así el Día sin Término, el día que habrá de repetirse con la perennidad de un tiempo inmedible. Se oía un rumor en el exterior. El pueblo se había lanzado a las calles con piedras y palos para luchar por su independencia. Es entonces cuando el autor nos da la visión de una Sofía en acción. En efecto, la acción que tanto ella buscara en vano se le presentaba esa mañana, pero no para darle una significación a su vida, sino para un acto de inmolación. Cuando decide echarse a la calle para disolverse con el pueblo, Esteban le advierte el peligro: «No seas idiota, están ametrallando.» Sofía, con una recia decisión de acción inaplazable, se lanzaba despavorida a la lucha «por los que se echaron a la calle...» Su último grito era: «¡Hay que hacer algo!» «¿Qué?» «¡Algo!» (p. 296).

Es importante insistir en que el escritor subraya el aislamiento en que se deslizaba la existencia de estas dos vidas rotas, cuyo símbolo más cabal era el cuadro *Explosión en una Catedral,* «ahora deficientemente curado de la ancha herida que se le hiciera un día, por medio de pegamentos que arrugaban demasiado la tela en el sitio de las roturas» (p. 290). De aquí que las circunstancias de sus vidas no fueran las más propicias para que ellos conocieran por qué luchaban los españoles.

«¡Hay que hacer algo!», exclamó Sofía. Pero no podemos abrazar solamente este mensaje de la joven cargado de pesimismo. No es posible aceptar que, como en *El reino de este mundo,* el autor nos deje con la imagen del hombre sacrificado, o inmolado, como en este caso, de espaldas a los paredones de fusilamientos, que muy elocuentemente resultan ser las últimas imágenes del libro [13].

---

[13] En relación con estas últimas imágenes, se lee en *Narradores de esta América,* I, 281-282, de Rodríguez Monegal: «En las últimas páginas de la novela (en la 296 de la edición mexicana, para ser preciso) hay otro símbolo, éste sí más perturbador en el contexto actual del libro. Cuando Esteban y Sofía aparecen enredados en la resistencia contra Napoleón en la España del crepúsculo de la monarquía de Carlos IV, sus figuras se proyectan contra uno de esos muros de fusilamientos que han inmortalizado Goya y Manet. A Carpentier se le escapan (¿o las deja caer, deliberadamente?) seis palabras: 'los paredones enrojecidos por la sangre'. ¿Cómo no pensar en otros más contemporáneos?»

Conviene recordar, con motivo de estas palabras de Sofía, que antes de que la joven saliera en busca de la Tierra de Promisión Esteban había marchado con el mismo propósito, porque «había, debía haber, era necesario que hubiese en el tiempo presente —en cualquier tiempo presente—, un Mundo Mejor» (p. 211). Mas regresaba de lo inalcanzado con un mensaje que es también de Carpentier: «Cuidémonos de las palabras demasiado hermosas, de los Mundos Mejores creados por la palabra. Nuestra época sucumbe por un exceso de palabras.» Y Esteban terminaba, «no hay más Tierra Prometida que la que el hombre puede encontrar en sí mismo» (p. 233). Ultimas palabras que el escritor complementa con la cita de Martínez Pascually: «*El ser humano sólo podrá ser iluminado mediante el desarrollo de las facultades divinas dormidas en él por el predominio de la materia...* (pp. 223-224) [el subrayado es del autor].

Pero, «cuidémonos de los Mundos Mejores creados por la palabra». A estas palabras parece referirse la cita de Zohar. Porque es necesario que se apunte que las últimas palabras de Sofía habían sido repetidas por la joven con anterioridad y que en cada ocasión habían desembocado en acontecimientos o revelaciones catastróficas. La primera vez (p. 41) había concluido en la ensordecedora revelación del impúdico mundo de su padre (p. 43). La segunda vez que la joven está «resuelta a hacer algo» (página 225) va a topar con una piara de cerdos que enlodan sus ideales (p. 224). La tercera, juega el papel de una mujer liviana entre las tropas que en secreto la desnudaban y palpaban (p. 280). Por último, Esteban y Sofía, que no constituyen sino una unidad, la idea y la acción, se diluyen entre la masa de un pueblo, o fusilados. Concluimos, «¡hay que hacer algo!» Hay que armonizar esa dualidad para que no se aniquile o desgarre interiormente al hombre y arrastre una vida de dolor y amargura, «remendada con pegamentos inútiles». No seamos los «beatos», los «ilusos», «los devoradores de escritos humanitarios, los calvinistas de la Idea» (p. 225); pongamos ésta al servicio del hombre y no el hombre al servicio de ella. Ese parece ser el mensaje del relato con la figura de Carlos al final, a quien no podemos contemplar desde su arista de burgués, sino de hombre simplemente, cuya vida ha transcurrido a lo largo de toda la novela con las alternativas propias a cualquier ser humano dentro del contexto histórico del período. Al concluir, el novelista lo levanta como estandarte de nuevos tiempos, cancelando un mundo de convulsiones cuyas ideas no se concretan porque pertenecen a mundos utópicos.

VISION FINAL DE LA DIMENSION TEMPO-ESPACIAL DE LA OBRA

Apuntamos anteriormente que hay dos dimensiones temporales en el texto. El tiempo progresivo normal en que se desarrolla la acción novelesca, que es de unos veinte años; la otra corresponde al tiempo cíclico en que descansa la estructura del libro. Carpentier monta círculos que se abren y cierran por los cuales fluye el tiempo normal formando una gran espiral temporal. En este aspecto consideramos que la novela es también culminación de la narrativa carpentieriana. El escritor reafirma en ella su muy marcada tendencia a la circularidad. Es que todos los elementos que concurren en el mundo de la narración —la casa familiar; la revolución, el fenómeno histórico que se reelabora estéticamente; los personajes, y los movimientos espaciales— coadyuvan a este fin.

Por ejemplo, si volvemos sobre la mansión familiar

veremos cómo se suceden una serie de etapas cíclicas que se inician con la alusión al Antiguo Régimen y concluyen al final del libro con la cancelación de todas las convulsiones, estabilizaciones y reacciones, hasta caer nuevamente en el Antiguo Régimen. Ello es que la última imagen es la de Carlos, el hombre atemporal, quien, por otros datos que nos da el narrador, sabemos que se sentía cansado de los rumores y ajetreos de una época que no lograba corporizar las ideas. Esta estructura básica de la casa-ciudad-mundo-habanero, en esquematismos de ciclos de convulsiones y estabilizaciones, es la que determina la acción. La imagen del ciclón, en el primer capítulo, es símbolo de la Revolución y asimismo representación precisa de esta gran espiral del tiempo.

La casa cubana, el mundo cubano en sí mismo, vive todos los niveles temporales, incluso la revolución independista de España, que sólo sirvió para absorber las dos vidas arruinadas de Esteban y Sofía y del pueblo que simbolizan. Fue ese el instante en que Carlos liquidó aquel mundo atroz que, en su girar constante había cercenado y arrasado con multitud de vidas sin llegar a materializar propósito alguno.

Julio Ortega, que ha notado esta presencia de Carlos al iniciarse y cerrarse la obra, dice que,

> ...la imagen de esa casa es más interesante tal vez que la misma reiterada y alegórica imagen del cuadro *Explosión de una Catedral,* bastante evidente ilustración de un mundo estable que se deteriora [14].

Y no deja de tener razón en cuanto se refiere a la importancia de la casa que, como señala el propio Ortega,

---

[14] Julio Ortega, «Sobre narrativa cubana actual», *Nueva Narrativa Hispanoamericana,* II, núm. 1 (enero 1972), p. 77.

«está en la base de esta novela como un término polar»[15]. Parecería que el escenario de la acción es Cuba, puesto que la mansión-ciudad, que en rigor lo es no sólo constituye su base estructural, sino que corre a todo lo largo de la trama como un substrato. Sobre esa armazón, Carpentier monta sucesivos escenarios por los que nos hace pasar: Francia, la Guadalupe, Cayena y España. Esa proposición pudiera reforzarse con la coincidencia de los ciclos temporales que parecen tener lugar en marcos escénicos diferentes, pero que el mundo de la casa contiene en su propio desarrollo temporal y que, por demás, atraviesan los tres personajes de su mundo. Por ejemplo, el primero, del Antiguo Régimen, sólo esbozado, es común a todos los escenarios. El segundo, de la Libertad y la Guillotina, arranca y termina en la mansión —y esta será la prueba más concluyente—, pues no se puede olvidar que resulta de la colisión de los dos sistemas —Víctor Hughes y don Cosme— se prolonga con la fuga y el vértigo de las palabras de los conspiradores, la vida desordenada de los personajes en Santiago de Cuba, las revueltas esclavistas de Haití, el movimiento francés, para alcanzar su culminación y caer en la Guadalupe, una isla del Caribe. Aunque este ciclo temporal convulsivo parece clausurarse en la isla mencionada, hay que tener en cuenta que la imagen de Víctor en ese instante devuelve la del contrabandista de la Habana. La casa pareciera desaparecer de la acción, pero todos sabemos que, al regreso de Sofía y después de su matrimonio, ese mundo llega a la institucionalización y desarrollo del comercio; exactamente igual sucede en la Guadalupe. Cuando Esteban llega a la Habana, luego de pasar por Cayena donde vive un ciclo que se corresponde al primero, cae dentro de una

[15] *Ibíd.*

fluencia temporal cíclica que es una visión del Antiguo Régimen. La mansión vuelve a irradiar ese nuevo matiz de época a todos los escenarios superpuestos. Consideramos que este repertorio de coincidencias bastaría para probar nuestro planteamiento, pero hay otros de singular importancia. La casa es simbólicamente un mundo en el que sus personajes aparecen categorizados. Esteban es el idealista; Sofía, la acción que no alcanza su oportunidad y que, como el primero, con su salida al «Ruedo del Mundo» se decepciona; Víctor es la acción ciega que sin principios ni ideales arraigados degenera y corrompe; Carlos es el hombre anónimo, atemporal. Los cuatro personajes alternan con sus vivas presencias y largas ausencias en el mundo de la mansión, de acuerdo con el contexto histórico del período, muy especialmente, con el mensaje que elabora el novelista. Las dos mansiones presentan esas características. En rigor, la casa madrileña es el doble de la casa cubana. Empero, es de extraordinaria importancia destacar que Carlos, ese hombre anónimo que es el que fundamentalmente elabora la historia, sea el que abra y cancele ese mundo. En concordancia con esa atemporalidad que cobra Carlos, es posible considerar el sentido ecuménico de la casa, pero partiendo siempre del hecho de que la mansión-ciudad-mundo habanero, Cuba, es el verdadero escenario del Acontecimiento. La presencia del cuadro *Explosión en una Catedral* en la casa madrileña también lo confirma (véase fig. 10).

Desde la condición del fenómeno histórico que se recrea, la Revolución, obtendremos un fluir temporal en espiral que se visualiza en siete ciclos que, como se ha dicho, equivalen a los de la mansión habanera. En sí, en sus repercusiones en América, que es la faz que nos interesa, proyecta un círculo que principia y finaliza en un punto que presenta los mismos relieves históricos. La

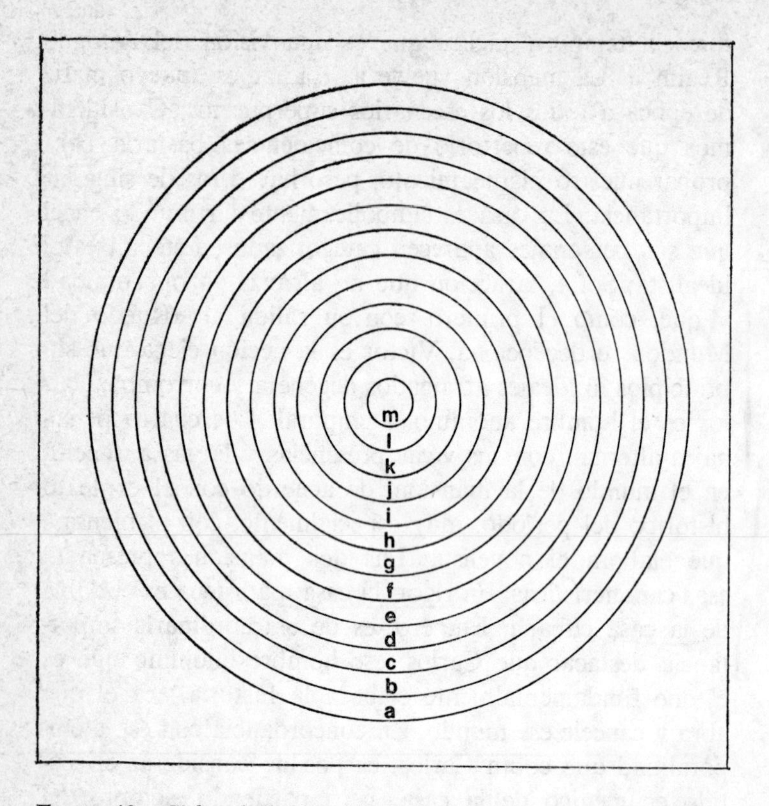

FIGURA 10.—*Ciclos de la mansión-ciudad-mundo-cubano. El esquema cíclico de la mansión-ciudad-mundo habanero presenta los cursos temporales siguientes:* a, *el aludido del Antiguo Régimen;* b, *el de la Libertad, que inicia la cena;* c, *la Institucionalización, con la vuelta a la normalidad;* d, *la Reacción, que marca el baile y la conquista del mundo exterior;* e, *la recaída en el Antiguo Régimen, con la preocupación de Víctor Hughes por los asuntos del comercio;* f, *una nueva etapa revolucionaria con el ciclón;* g, *el restablecimiento del orden y el comercio;* h, *una nueva estabilización;* i, *inicio del primer ciclo revolucionario de la trama: la Libertad y la Guillotina, con la confrontación de Víctor y don Cosme;* j, *ciclo de la estabilización a la vuelta de Sofía, se corresponde con la Institucionalización y el Corso de la Guadalupe;* k, *vuelta al Antiguo Régimen;* l, *la revolución sensual de Sofía;* ll, *caída en el Antiguo Régimen;* m, *la Reacción, pero, como se sugiere en el libro, la curva se prolonga hasta retomar el Antiguo Régimen. Los ciclos* a, b, c, d, e, f, g, h *son lapsos temporales premonitorios de los que se desarrollan en la trama.*

Revolución viene a América, con el Decreto del 16 pluvioso, a concederle la libertad e igualdad a los esclavos. Concluye con su restablecimiento por el Decreto del 30 floreal, que complementa el del 5 mesidor. Así, el Aconte-

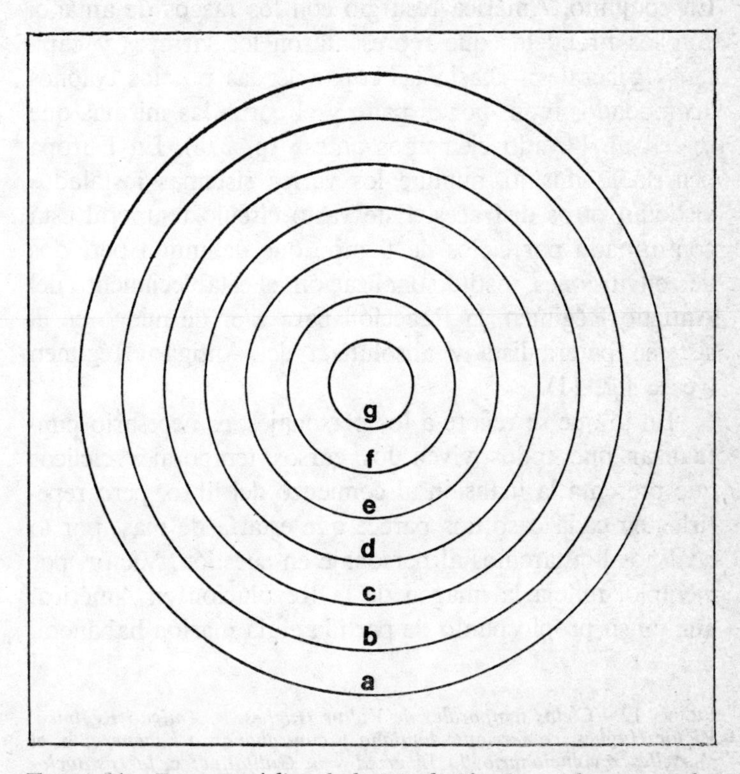

FIGURA 11.—*Esquema cíclico de la Revolución. Los ciclos temporales del fenómeno revolucionario se ordenan de la manera siguiente:* a, *el Antiguo Régimen, punto de partida;* b, *el ciclo de la Libertad y la Guillotina, período de convulsión;* c, *el ciclo de la Institucionalización y el Comercio, la práctica del corso;* d, *la Guillotina Seca, que equivale al primero de los ciclos señalados;* e, *la vuelta al Antiguo Régimen, sistema paternalista de Víctor Hughes en Cayena y la retoma de la casa de su apariencia inicial;* f, *la Reacción, con los nuevos Decretos que devolvían a América su catadura política inicial, y,* g, *la insinuación del Antiguo Régimen con cuyos rasgos se visualiza la imagen de Víctor Hughes.*

cimiento que había llegado escandalosamente a este continente sin detenerse ante las mayores crueldades, con el propósito preciso de cambiar su catadura política y social, se convertía doce años después en un movimiento retrógrado. En conjunto, América resurgió con los rasgos de antaño, con los tiranuelos que representaron los virreyes y capitanes generales: «hasta las ropas usadas por los colonos acomodados eran, por el paño y el corte, las mismas que se habían llevado cien años antes» (p. 278). En Europa ocurría lo mismo, aunque los varios sistemas instalados vistieran otros disfraces. Este vasto círculo temporal está conformado por ciclos de tiempo que delimitan períodos de convulsiones, institucionalización, el establecimiento del Antiguo Régimen, la Reacción para caer de nuevo en el sistema paternalista y absolutista del Antiguo Régimen (véase fig. 11).

En lo que se refiere a los personajes, es necesario puntualizar que todos viven los cursos temporales cíclicos que presenta la mansión al comienzo del libro, pero repetirlos en cada caso nos parece que estaría de más, por lo cual nos limitaremos al personaje en cuestión. Víctor, por ejemplo, refleja la imagen de la Revolución en América, aún en su propio punto de partida en la masión habanera.

FIGURA 12.—*Ciclos temporales de Víctor Hughes:* a, *Antiguo Régimen, Víctor Hughes, comerciante haitiano y contrabandista habanero;* b, *el marsellés revolucionario, la Libertad y la Guillotina;* c, *la Institucionalización y vuelta al comercio —el Corso—;* d, *Caída en el Antiguo Régimen;* e, *Víctor Hughes y la Reacción. Por los indicios que nos da el autor, el antiguo comerciante vuelve al Antiguo Régimen.*

FIGURA 13.—*Trayectoria espacial de Víctor Hughes. El punto* a, *representa el punto de partida, La Habana;* b, *Haití, donde se encuentra en el punto cero;* c, *Francia;* d, *la Guadalupe; vuelta a Francia,* c, *para terminar en Cayena,* e. *El diseño lo cierra Sofía,* f, *en su viaje a Cayena. En ese momento, la mujer es una adición al marsellés y no una resta.*

→

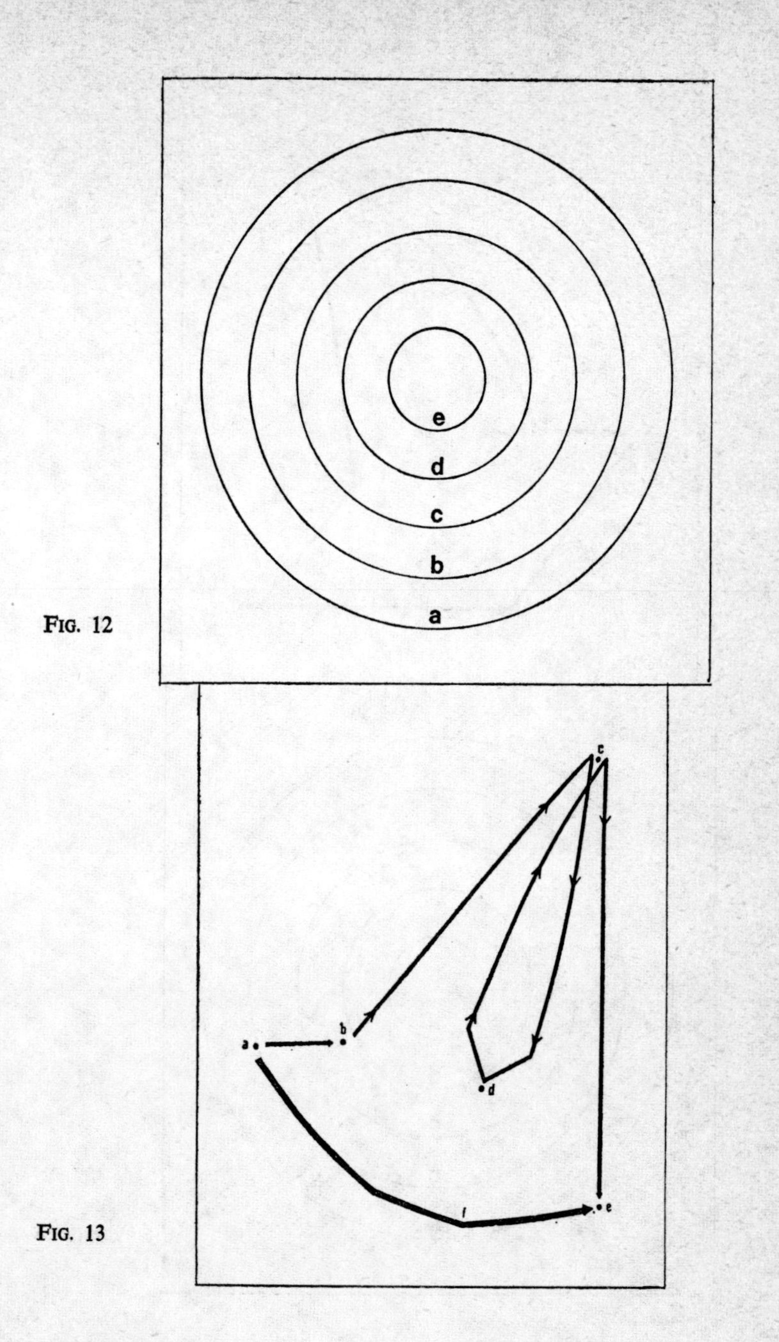

FIG. 12

FIG. 13

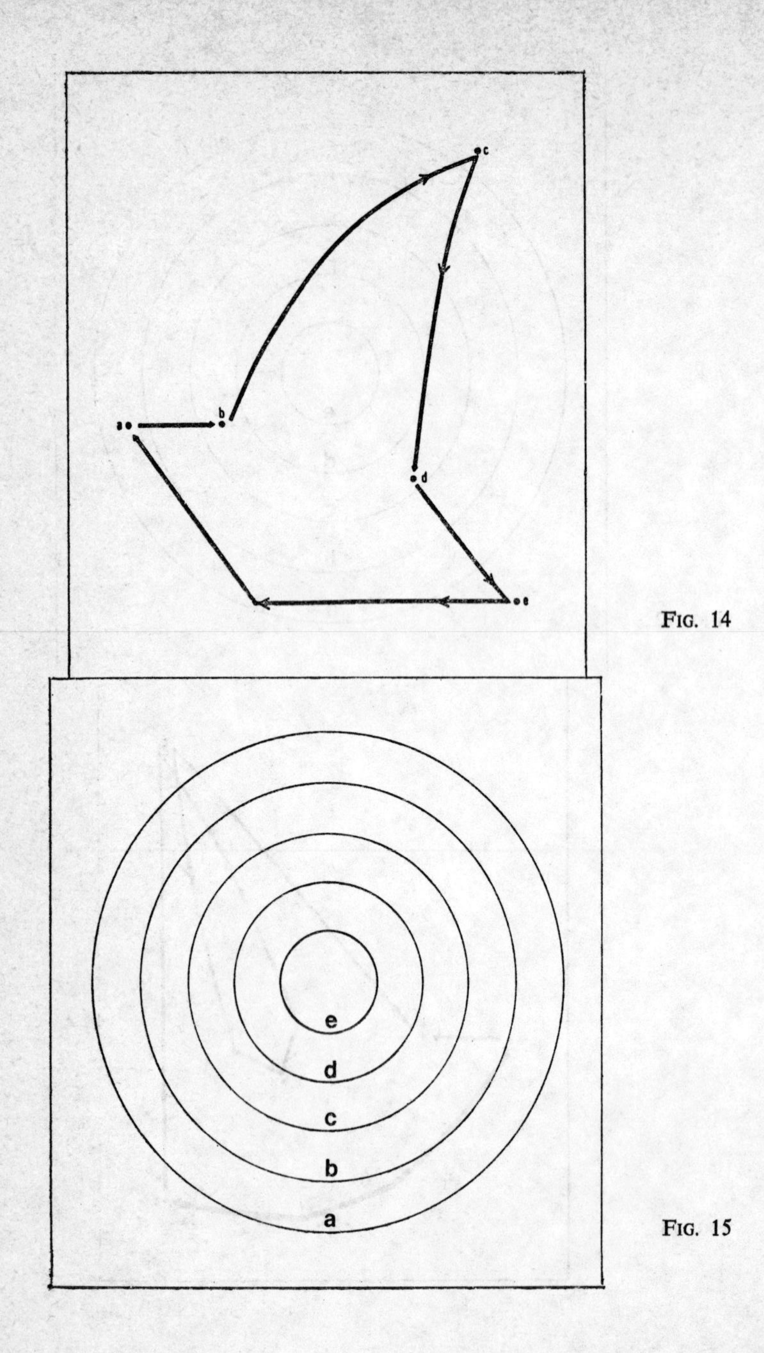

FIG. 14

FIG. 15

Comerciante de origen, deviene en comisario de la Convención en los inicios del Acontecimiento, luego del Directorio, hasta su caída en que retorna al punto cero. Cuando sale a escena de nuevo juega su papel en el decorado del Antiguo Régimen primero, más tarde en el de la Reacción, para luego reflejar la estampa de un virrey o capitán general (véase fig. 12).

Resulta muy interesante destacar que el marsellés también desarrolla un movimiento espacial cerrado. Sale de la Habana, de allí pasa a Haití, a Francia, a la Guadalupe a Francia de nuevo y, por fin, a Cayena. Su desplazamiento no se cierra, pero debemos recordar que el espacio que queda por llenar lo cubre Sofía con su viaje de la propia Habana a Cayena. En ese momento, la mujer es una suma del antiguo comerciante, no una resta (véase figura 13).

El efecto de la circularidad tempo-espacial se acentúa con Esteban. Marcha de la casa habanera y vuelve al mismo mundo que parece haberse remansado temporalmente en una época que nos devuelve al comienzo de la narración. En su itinerario espacial recorre los lugares siguientes: Haití, Francia, la Guadalupe, Cayena, hasta tocar de nuevo en el lugar de partida, la Habana. A su

FIGURA 14.—*Trayectoria espacial de Esteban. Las letras indican:* a, *La Habana;* b, *Haití;* c, *Francia;* e, *Cayena, de donde vuelve a La Habana,* a, *para cerrar su trayectoria y a la vez el primer gran círculo de la novela. Esteban vuelve a salir rumbo a Ceuta y España, pero esa línea cierra el desplazamiento espacial de Sofía porque en ese instante el joven es una suma de la mujer, con quien representa la dualidad del ser humano.*

FIGURA 15.—*Esquema temporal de Esteban. Los lapsos que hacen girar al joven habanero corresponden a:* a, *ciclo de la Libertad y la Guillotina;* b, *la Institucionalización y el Corso;* c, *ciclo de la Guillotina Seca;* d, *la vuelta al Antiguo Régimen en la casa habanera;* e, *la Reacción, que vive en España.*

←

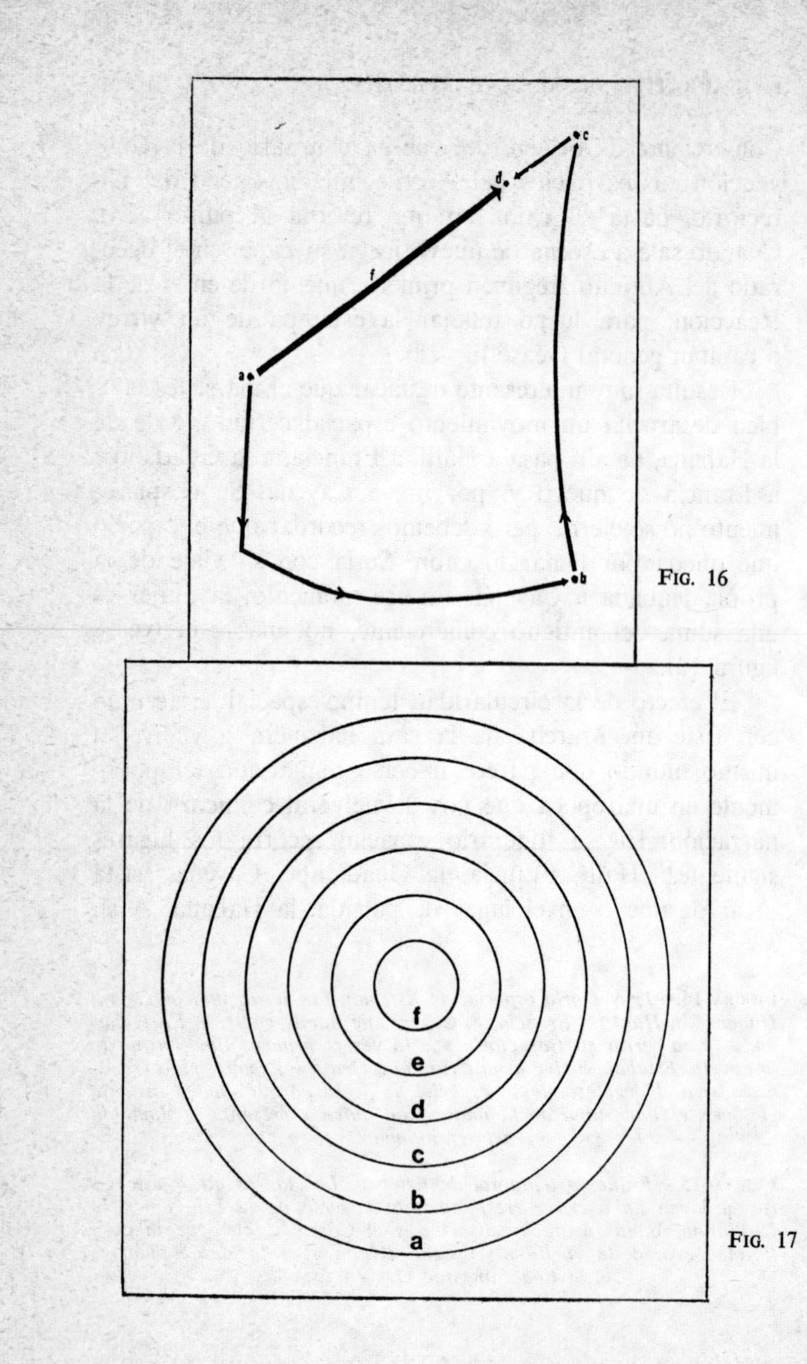

FIG. 16

FIG. 17

vez, esa amplia trayectoria espacial contiene una serie de ciclos temporales en los que se desarrollan hechos tales como la terrible convulsión de la Revolución, la Institucionalización y el Corso, la visión infernal de las prisiones de Cayena y la vuelta al Antiguo Régimen en la Habana (véase figs. 14 y 15).

Sofía es el otro personaje que subraya este fenómeno de la trayectoria tempo-espacial cerrada, es decir, la vuelta siempre al principio, con la ironía de que la mujer que representa el *gay saber* sale dos veces al «Ruedo del Mundo» para tropezar siempre con la defraudación de sus ideales y la paralización o envilecimiento de la acción. La última vez sale de la casa habanera a Cayena. Allí embarca con destino a Francia para terminar en España. Como en el caso del marsellés, hay un espacio que no recorre; sin embargo, esta vez es Esteban el que lo llena con su viaje a Ceuta, porque, como se dijo ya, aunque en direcciones opuestas los dos iban hacia la misma meta. Los dos constituyen una suma en la que el autor insiste al final de la trama con un destino común (véase fig. 16).

Asimismo esa trayectoria espacial incluye corrientes temporales cíclicas determinadas por convulsiones y reacciones. Su fluencia temporal se iniciará con el ciclo de la

FIGURA 16.—*Desplazamiento espacial de Sofía. Las letras indican:* a, *punto de partida, la Habana;* b, *Cayena;* c, *Francia, y* d, *España. Parece que el diseño no se cierra, pero la trayectoria de Esteban, Cuba-Ceuta-España, completa la figura, así como el segundo círculo de la novela.*

FIGURA 17.—*Diseño temporal de Sofía. La espiral de Sofía comienza:* a, *con el ciclo revolucionario que se produce por el choque de don Cosme y Víctor y que se prolonga hasta abarcar los movimientos revolucionarios de Haití, Francia y la Guadalupe;* b, *un ciclo adivinado de la Institucionalización y el Comercio a su retorno a la casa, la vuelta al Antiguo Régimen;* d, *su revolución sensual;* e, *la caída en el Antiguo Régimen;* f, *la Reacción vivida en Francia, y España.*

←

Revolución que asoma en la casa y prosigue su curso hasta recoger en ella la Revolución Francesa, las convulsiones de la Guadalupe y las prisiones de Cayena. Más tarde continúa con un ciclo adivinado de la Institucionalización y el comercio a su retorno a la casa, la vuelta al Antiguo Régimen, su revolución sensual, la caída en el Antiguo Régimen nuevamente y la Reacción vivida en Francia y España (véase fig. 17).

De este modo concluimos que la novela contiene una buena cantidad de trayectorias tempo-espaciales cerradas que corresponden a cada uno de los personajes principales, muy particularmente las de Esteban, Sofía y Carlos. Los dos primeros dividen el texto en dos círculos. El tercero conforma el círculo que constituye el propio libro. Además de los ciclos temporales superpuestos que proponen una corriente del tiempo en espiral en el caso de cada personaje, hay que considerar la del propio asunto novelado: la Revolución. Por fin, la espiral temporal de la casa-ciudad-mundo que anuncia y recoge ambas coordenadas de tiempo y espacio en que viven sus habitantes y las del propio Acontecimiento elaborado literariamente, por lo cual, sin duda, pasa a ser el verdadero teatro donde se desarrolla la acción de este complejo pero magnífico libro de Alejo Carpentier, la aportación más valiosa del novelista «antillano y universal» para la búsqueda de un Mundo Mejor.

CONCLUSION

Recorido el largo camino que implica el análisis de la narrativa de Alejo Carpentier debemos insistir en que, aunque el autor no es un novelista histórico, la historia es el material sobre el que el artista trabaja, adaptándolo a sus moldes estéticos de acuerdo con su concepción filosófica de la propia historia, la vida y el arte. Es que el objeto primario de su obra es ofrecer su visión del hombre en la fluencia del tiempo.

En efecto, Carpentier compone con dos o tres trazos el fresco e incitante marco de la época por la que siente cierta predilección, la España de la Edad Media y Moderna, a la vez, en *El camino de Santiago*. De modo magistral «desvive» una vida en un tiempo que refluye, en el cuadro seductor de la Cuba colonial en *Viaje a la semilla*. Con gran virtuosismo técnico baraja aconteceres históricos para elaborar artísticamente una trama en *Semejante a la noche*. Del mismo modo puede el escritor atravesar todos los estadios culturales de la humanidad, a lo largo de los diferentes cauces históricos, hasta llegar a los bordes mismos de la eternidad, mediante la superposición de estratos temporales en *Los pasos perdidos*.

Con la misma habilidad técnica dispara su imaginación para recrear estéticamente acontecimientos históricos muy complejos, tales como las revoluciones. Tres verdaderas joyas nos regala el escritor en este campo: *El reino de este mundo, El acoso* y *El siglo de las luces*. En la primera, *El reino de este mundo*, el novelista proyecta una sucesión temporal cíclica desde las revueltas de los esclavos haitianos hasta alcanzar su concepción filosófica de la esclavitud del hombre por el hombre dentro del devenir histórico. En la segunda, *El acoso*, el narrador recrea artísticamente la ya muy novelada Revolución cubana de 1933 y sus repercusiones posteriores, para llegar a la conclusión de que el hombre no siempre puede alcanzar la meta propuesta. Por último, deja fluir su fantasía dentro de la conmoción de la Revolución Francesa. Luego de hacer girar al hombre en ciclos temporales de convulsiones y reacciones, nos brinda la imagen del hombre atemporal que, cansado de agitaciones y perturbaciones, se dispone a clausurar ese mundo de sacrificios inútiles.

Al echar una mirada retrospectiva sobre estos aconteceres reelaborados con espléndida maestría por Alejo Carpentier, se hace patente que el escritor, aunque ha novelado sobre el presente histórico en *Los pasos perdidos* —la novela dedicada casi por completo a toda la historia de la humanidad comienza y concluye con la interpretación del presente— y *El acoso* —cuyo escenario y contenido de hechos pertenecen al siglo XX—, prefiere el pretérito. Sin embargo, y ello nos parece de singular importancia, este novelista, que pareciera postergar el presente y mimar el pasado, les concede a esos acontecimientos antiguos la calidad del presente: del «aquí» y del «ahora», sin que, dada la habilidad artística del escritor, pierdan su esencia pretérita.

Desde la vertiente tempo-espacial, es bien evidente que aunque Carpentier descubre, siente y ve el fluir temporal en cursos varios, tales como corrientes regresivas, zigzagueantes y espirales, además de otras combinaciones, como se ha expuesto en cada estudio, es también cierto que, en última instancia, el movimiento espacio-tiempo que siempre logra es el de la trayectoria cerrada, o sea, el principio convertido en fin o viceversa. Sus textos son círculos en sí mismos donde quedan aprisionados acción y vida.

En *El camino de Santiago,* el narrador desarrolla dos trayectorias tempo-espaciales cerradas, tangentes en un punto; pero dentro de ellas hay otras. En la ladera que mira a Europa pudieran considerarse dos, si es que, como dijimos, el personaje carpentieriano sigue los pasos de la vida del personaje cervantino, en cuyo caso la primera correspondería a este último; la segunda, al personaje del relato que estudiamos. Hacia América se proyectan tres: la primera, aludida, debe corresponder al Indiano con quien se encuentra Juan el Romero en la feria de Burgos; la segunda, a Juan de Amberes, luego Juan el Indiano; la tercera, aludida e infinita en su recurrencia, pertenece a los dos Juanes. En estos tres ciclos el principio y el fin es siempre el mismo, Burgos, o si se quiere, España. El personaje es el hombre atemporal en una repetición perenne de las mismas huellas formadas por eslabones de vidas.

En el relato *Viaje a la semilla,* el autor presenta el fluir del tiempo en forma regresiva. La estructura del cuento descansa en las etapas propias de la vida del hombre, que va desvaneciéndose desde el morir hasta el nacer. Pero ese refluir del tiempo tiende a la circularidad, porque el escritor hace coincidir fin y principio con las dos *nadas* que siguen y preceden al morir y al nacer, respectivamente. Encadenados al círculo temporal de la vida principal hay otros círculos de tiempo que se insinúan y que corresponden a las vidas próximas a él. En el trancurrir inverso del tiempo, esas vidas siguen el mismo proceso de «desvivirse» desde la muerte. La última de ellas es la de la madre del personaje principal, que resucita desde una *nada* común a ella y a su hijo. La vida está concebida como una serie de eslabones agónicos que siguieron, siguen y seguirán repitiéndose.

Semejante a la noche responde asimismo a la circularidad. El relato tiene tres tiempos progresivos: el primero corresponde al salto tempo-espacial del soldado de la Guerra de Troya al siglo XVI; el segundo, a su aparición en el marco escénico de la colonización francesa, siglo XVIII; el trecero resulta del salto del soldado del siglo XIII, con su evocación de las Cruzadas, hasta la preparación para el Gran Desembarco, siglo XX. Se proyectan también dos tiempos regresivos: el primero corta la fluencia temporal progresiva para retornar desde el siglo XVIII hasta el siglo XIII, el escenario europeo de las Cruzadas; por fin, la vuelta al comienzo, la Grecia de la Guerra de Troya. Con esta regresión, Carpentier cierra la trayectoria tempo-espacial, del mismo modo que obtiene la imagen del soldado atemporal, y subrayo la falta de identidad del hombre.

En *El acoso* concluimos con tres tiempos regresivos engastados en un lapso temporal que comienza antes del inicio de la sinfonía *Heroica* y se extiende hasta su conclusión o coda, de modo principalísimo. La fluencia temporal regresiva que obedece, entre otras causas, a estímulos exteriores, sensaciones y selección de los recuerdos, reflejan las vidas de los personajes centrales en sus hechos más significativos. En la mente del boletero se desarrollan cuatro saltos tempo-espaciales bien definidos, que se encierran en un tiempo progresivo que principia antes de la ejecución de la pieza de concierto y se prolonga hasta el cuarto movimiento. Hay una última evocación a la prostituta en la conclusión o coda. En cambio, la mente del joven perseguido es una pantalla en la cual se proyectan velozmente, saltando del presente a diversos pretéritos, a futuros de esos pretéritos, a nuevos o a los mismos pretéritos, las vivencias más dramáticas de su vida. Estas experiencias vitales quedan aprisionadas, muy principalmente, en el tiempo que toma la ejecución del tercer movimiento de la sinfonía, aunque hay algunas reminiscencias en la conclusión o coda y en el segundo movimiento. Del mismo modo los dos personajes principales se desplazan espacialmente en una secuencia de tiempo progresivo. El joven boletero desde la Sala de Conciertos hasta la casa de Estrella en viaje de ida y vuelta, pasando por el mercado a su regreso. El joven acosado pareciera haber configurado el mismo itinerario un poco antes, pero en dirección contraria: del Mirador, a la casa de Estrella, el Jardín Botánico, la fortaleza, la colina universitaria, la casa de la Gestión, la iglesia, la caseta del malecón, el café, hasta cerrarlo en la Sala de Conciertos situada frente al Mirador. El perseguido pasa por el mercado en su viaje de ida a la casa de Estrella. A estas trayectorias cerradas hay que añadir el círculo de la propia novela. Al terminar hay que retomar el comienzo.

En *El reino de este mundo*, el novelista marca el tiempo con cinco ciclos temporales que comienzan y concluyen siempre en la constante histórica de la esclavización del hombre. Las dos primeras curvas cíclicas se apoyan en el fenómeno histórico de la esclavitud durante el período de la colonia; la tercera es un puente temporal que enlaza el paso de una esclavitud a otra, es decir, de la esclavitud como sistema a la esclavitud de hecho ejercida por el hombre sobre su semejante. El texto responde en su estructura a esos ciclos temporales. Cabría indicarse que la propia novela constituye un círculo, ya que empieza y termina con la esclavitud. Además hay cuatro movimientos espaciales encerrados en el libro. Uno pertenece a la Bonaparte en su viaje a Haití y regreso a

Francia, punto de partida. Los tres restantes los desarrolla Ti Noel y comportan matices temporales.

Los pasos perdidos está estructurada sobre un fluir temporal regresivo. Pero hay que anotar el nivel temporal progresivo en que se desarrolla la trama que es de unos siete meses, y la ausencia de tiempo como nota de eternidad. El tiempo regresivo así como la carencia de tiempo son dimensiones temporales subjetivas.

Aunque la estructura del texto está basada en el tiempo regresivo en zig-zag, dado los avances y retrocesos temporales subjetivos del personaje central, la dimensión tempo-espacial se inclina a la circularidad en cuanto que hay un regreso al punto de arranque. El itinerario del protagonista tiende a la trayectoria cerrada en las dos visiones espaciales que proyecta. La primera, cuyo punto de escala es la ciudad hispanoamericana en su ida y vuelta está desarrollada con rasgos continuos. En la segunda, que comienza en la propia ciudad hispanoamericana con rumbo a lo desconocido, prevalece el zig-zag temporal que responde a las fluencias espacio-temporales que se operan en el hombre hasta alcanzar la ciudad de Santa Mónica de los Venados. En cambio, el retorno a la mencionada ciudad cierra este movimiento espacial en un desplazamiento continuo. Pero el mismo libro es un círculo que principia y finaliza en el mismo espacio-tiempo: el presente de la ciudad supertecnificada.

En lo que se refiere a *El siglo de las luces,* puede concretarse que la estructura de la obra es cíclica, no sólo en lo que se relaciona con la acción de la novela, ya de por sí basada en una revolución, sino también en cuanto a los otros componentes de su mundo, o sea, escenario y personajes. De ese modo las corrientes tempo-espaciales se multiplican formando las siguientes espirales por las que circula el tiempo: la de la mansión-ciudad-mundo habanero, donde se proyecta el Acontecimiento, que es la más amplia y recoge en sí las demás que contiene el libro. La del Acontecimiento novelado, la Revolución; y las que pertenecen a Esteban, Sofía y Víctor. Estos tres personajes también proyectan trayectorias espaciales cerradas. Debemos señalar que Carlos comparte el mundo de la casa a la par que Sofía y Esteban, por lo cual es fácil discernir que vive sus ciclos temporales. A la propia novela pudiera concedérsele la cricularidad del mundo que plantea, puesto que la imagen del hombre atemporal —Carlos— la abre y cancela.

De esta manera remata brillantemente Alejo Carpentier este ciclo de su narrativa, con la esperanza de liquidar un mundo que se dilata en incontenibles convulsiones y reacciones que se traducen en sacrificios y mutilaciones de existencias sin que el hombre pueda alcanzar su Tierra de Promisión, porque todo volverá a repetirse en el reino de este mundo.

DeKalb, Ill., 1973.

NOTA FINAL

Este estudio, que ha sido elaborado en un tiempo físico muy limitado, gira muy principalmente alrededor del pivote del tiempo en la obra de Alejo Carpentier.

En él hemos tratado de seguir paso a paso los estratos temporales que mágicamente brotan de los varios motivos de que se sirve el autor para darnos su concepción de la corriente temporal y del hombre dentro de ella. Sin embargo, no nos ha sido posible soslayar otros aspectos de su creación literaria tan seductores como el desarrollo del fluir temporal y la identidad del hombre. Por eso en cada caso particular hemos procurado ofrecer una visión totalizadora del texto, conscientes, por supuesto, de que, como toda creación literaria, es inagotable. Asimismo, nuestro ensayo, como toda obra humana, está muy lejos de pretender la perfección. Sabemos que nuestro planteamiento ni es completo ni será el último, pero sí creemos que puede ser de interés y utilidad para los lectores de la narrativa de este escritor «cubano y universal», que resulta ser uno de los novelistas hispanoamericanos que más se ha preocupado por el destino del hombre del presente y del futuro. El artista ha mirado al hombre labrando su destino histórico desde todas las perspectivas. En el afán de recuperar las huellas perdidas no ha vacilado en volcar el tiempo hasta llegar a las propias raíces del hombre, para regresar, sombra de sombras, con el mismo ser a cuestas.

Su obra es así, su aportación más valiosa para una mejor comprensión del ser humano. Es la rosa de los vientos más segura para salir al reencuentro, dentro de nosotros mismos, de esos «pasos perdidos», y de esa manera aproximarnos a un «Mundo Mejor» en «el reino de este mundo».

BIBLIOGRAFIA

OBRAS MAS CONOCIDAS DE ALEJO CARPENTIER

Cuentos y novelas

Ecue-Yamba-O. Editorial España. Madrid, 1933.
Viaje a la semilla. Ucar García y Cía. La Habana, 1944.
El reino de este mundo. 1.ª ed. en España. Seix Barral. Barcelona, 1967. La primera edición se publicó en México, 1949.
Los pasos perdidos. 9.ª ed. Compañía General de Ediciones, S. A. México, 1970. La primera edición se publicó en México, 1953.
El acoso. Editorial Losada. Buenos Aires, 1956.
Guerra del tiempo. Compañía General de Ediciones, S. A. México, 1958.
El siglo de las luces. 5.ª ed. Compañía General de Ediciones, S. A. México, 1969. La primera edición se publicó en México, 1962.
El derecho de asilo. «Colección Palabra Menor», núm. 3. Ed. Lumen. Barcelona, 1972.

Otros libros y ensayos

La música en Cuba. Fondo de Cultura Económica. México, 1946.
Tientos y diferencias. Ediciones Unión. La Habana, 1966.
Literatura y conciencia política en América Latina. Alberto Corazón, editor. Impreso por S. A. E. G. E., Madrid, 1969.
La ciudad de las columnas. Editorial Lumen. Barcelona, 1970.

GENERAL

Alegría, Fernando: *Historia de la novela hispanoamericana.* De Andrea. México, 1964.
Anderson Imbert, E.: *Historia de la literatura hispanoamericana.* 4.ª ed. Fondo de Cultura Económica. México y Buenos Aires, 1962.

Arrom, Juan José: *Esquema generacional de las letras hispanoamericanas: ensayo de método*. Instituto Caro y Cuervo. Bogotá, 1963.

Ayala, Francisco: *España y la cultura germánica y España a la fecha*. «Colección Perspectivas Españolas», núm. 3. Ed. Finisterre, México, 1968.

Bottineau, Yves: *El camino de Santiago*. Editora Aymá. Barcelona, 1965.

Bueno, Salvador: «La novela cubana de hoy», *Insula*, año XXIII, números 260-261 (julio-agosto 1968).

— *Temas y personajes de la literatura cubana*. Ediciones Unión / Ensayo. La Habana, 1964.

— *Historia de la literatura cubana*. La Habana, 1963.

Burgos Ojeda, Roberto: «La magia como elemento fundamental en la nueva narrativa hispanoamericana», *Memoria del XIV Congreso Internacional de Literatura Iberoamericana*. Universidad de Toronto. Toronto, 1970.

Camacho Guizado, Eduardo: «Notas sobre la nueva novela hispanoamericana», *Nueva Narrativa Hispanoamericana*, vol. I, núm. 1 (enero 1971).

Castagnino, Raúl E.: «Algunas cuestiones de sociología literaria, frente a la Nueva Novela Hispanoamericana», *Nueva Narrativa Hispanoamericana*, vol. II, núm. 2 (septiembre 1972).

Cervantes Saavedra, Miguel de: *El ingenioso hidalgo don Quijote de la Mancha*. «Ediciones Clásicos Castellanos». Ed. Espasa-Calpe. Madrid, 1958.

— *Novelas ejemplares*. «Ediciones Clásicos Castellanos». Ed. Espasa-Calpe. Madrid, 1962.

Flores, Angel: «Magical Realism in Spanish American Fiction», *Hispania*, vol. XXXVIII, núm. 2, (mayo 1955).

Fuentes, Carlos: *La nueva novela hispanoamericana*. Cuadernos de Joaquín Mortiz. México, 1969.

Gertel, Zunilda: *La novela hispanoamericana contemporánea*. Editorial Columbia. Buenos Aires, 1970.

Giordano, Jaime: «Hacia una definición del realismo en la novela hispanoamericana», *Nueva Narrativa Hispanoamericana*, vol. I, número 1 (enero 1971).

Harss, Luis: *Los nuestros*. Editorial Sudamericana. Buenos Aires, 1969.

Hauser, Arnold: *Historia social de la literatura y el arte*, vols. I y II. 3.ª ed. Ediciones Guadarrama. Madrid, 1964.

Henríquez Ureña, Pedro: *Las corrientes literarias en la América Hispánica*. Fondo de Cultura Económica. México, 1949.

Leal, Luis: «El realismo mágico en la literatura hispanoamericana», *Cuadernos Americanos*, año XXVI (1967).

Loveluck, Juan: *La novela hispanoamericana*. Editorial Universitaria. Santiago de Chile, 1963.

Lyon, Thomas E.: «Orderly Observation to Symbolic Imagination: The Latin American Novel from 1926 to 1960», *Hispania,* vol. LIV, número 3 (septiembre 1971).

Mallea, Eduardo: *Todo verdor perecerá.* 2.ª ed. Colección Austral. México, 1951.

Marinello, Juan: *Literatura hispanoamericana: hombres-meditaciones.* Ediciones de la Universidad Nacional. México, 1937.

Morínigo, Mariano: «Lo político en ciclos narrativos de Hispanoamérica», *Nueva Narrativa Hispanoamericana,* vol. II, núm. 2 (septiembre 1972).

La novela hispanoamericana contemporánea. XIII Congreso de Literatura Iberoamericana. Universidad Central de Venezuela. Caracas, 1968.

Núñez, Estuardo: «Realidad y mitos latinoamericanos en el surrealismo francés», *Revista Iberoamericana,* núm. 75 (abril-junio 1971).

Ortega, Julio: «Sobre la narrativa cubana actual», *Nueva Narrativa Hispanoamericana,* vol. II, núm. 1 (enero 1972).

Ortega y Gasset, José: *Ideas sobre la novela.* Ed. Espasa-Calpe. Madrid, 1964.

— *El tema de nuestro tiempo.* 16.ª ed. Ediciones de la Revista de Occidente. Madrid, 1966.

Paz, Octavio: *Posdata.* 6.ª ed. Siglo XXI Editores, S. A. México, 1971.

Portuondo, José Antonio: «El ensayo y la crítica en Cuba revolucionaria», *Memoria del XIV Congreso Internacional de Literatura Iberoamericana.* Universidad de Toronto. Toronto, 1970.

Quevedo, Francisco de: *Obra poética.* Editado por José Manuel Blecua. Ed. Castalia. Madrid, 1969.

Rest, Jaime: *La novela tradicional.* Centro Editor de América Latina. Buenos Aires, 1967.

Ripoll, Carlos: *La generación del 23 en Cuba y otros apuntes sobre el vanguardismo.* Las Americas Publishing Co. Nueva York, 1968.

Rodríguez Alcalde, Leopoldo: *Hora actual de la novela en el mundo.* Editorial Taurus. Madrid, 1959.

Rodríguez Monegal, Emir: *Narradores de esta América,* vol. I. Editorial Alfa. Montevideo, 1969.

— *El arte de narrar.* Ed. Monte Avila. Caracas, 1968.

Sánchez, Luis Alberto: *Proceso y contenido de la novela hispanoamericana.* Ed. Gredos. Madrid, 1963.

— *América, novela sin novelistas.* Ed. Ercilla. Santiago de Chile, 1940.

Sánchez, Nestor: «En relación con la novela como proceso o ciclo de vida», *Revista Iberoamericana,* núms. 76-77 (julio-diciembre, 1971).

Schenelle, Kurt: «Acerca del problema de la novela latinoamericana», *Memoria del XIV Congreso de Literatura Iberoamericana.* Universidad de Toronto. Toronto, 1970.

Schulman, I.; González, M. P., y Alegría, F.: *Coloquio sobre la novela hispanoamericana.* Fondo de Cultura Económica. México, 1967.

Torre, Guillermo: *Claves de la literatura hispanoamericana.* Ed. Taurus. Madrid, 1959.

Torres Rioseco, Arturo: «La novela iberoamericana», *Memoria del V Congreso del Instituto Internacional de Literatura Iberoamericana.* University of New Mexico. Alburquerque, 1952.

— *Nueva historia de la literatura iberoamericana.* Ed. Emecé. Buenos Aires, 1945.

— *Grandes novelistas de la América Hispana.* Universidad de California. Berkeley y Los Angeles, 1949.

— *Novelistas contemporáneos de América.* Ed. Nascimiento. Santiago de Chile, 1939.

Uslar Pietri, Arturo: *Breve historia de la novela hispanoamericana.* Edime. Caracas, s/f.

Valbuena Briones, A.: «Una cala en el realismo mágico», *Cuadernos Americanos,* año XXVIII, núm. 5 (septiembre-octubre 1969).

— *Historia de la literatura española,* vol. IV. 3.ª ed. Ed. Gustavo y Gili, S. A. Barcelona, 1967.

La vida de Lazarillo de Tormes. «Ediciones Clásicos Castellanos». Editorial Espasa-Calpe. Madrid, 1969.

Wellek, René, y Warren, Austin: *Teoría literaria.* Ed. Gredos. Madrid, 1962.

Zum Falde, Alberto: *La narrativa hispanoamericana.* Ed. Aguilar. Madrid, 1964.

ESPECIFICA

Alegría, Fernando: «Alejo Carpentier: realismo mágico», *Homenaje a Alejo Carpentier.* Editado por Gelmy F. Giacoman. Las Americas Publishing, Co. Nueva York, 1970.

Assardo, M. Roberto: «El efecto de la disgregación temporal en *El acoso* de Alejo Carpentier», *Revista de Letras.* Puerto Rico. Universidad de Puerto Rico en Mayagüez, 21 (marzo 1974).

Assardo, M. Roberto: «Semejante a la noche o la contemporaneidad del hombre», *Homenaje a Alejo Carpentier.* Editado por Gelmy F. Giacoman. Las Americas Publishing, Co. Nueva York, 1970.

Barreda-Tomás, Pedro M.: «Alejo Carpentier: dos visiones del negro, dos conceptos de la novela», *Hispania,* vol. LV, núm. 1 (marzo, 1972).

Blanzat, Jean: «*Le partage des eaux,* de Alejo Carpentier», *Figaro Litteraire,* París (7 enero 1956).

Bueno, Salvador: «Alejo Carpentier y su concepto de la historia», *Me-*

moria del XIV Congreso Internacional de Literatura Iberoamericana. Universidad de Toronto. Toronto, 1970.

— «Alejo Carpentier, novelista antillano y universal», *La letra como testigo.* Publicaciones de la Universidad Central de Las Villas. Santa Clara, Cuba, 1957.

Campos, Jorge: «La antilla de Alejo Carpentier», *Insula,* año XXI, (noviembre 1966).

Carpentier, Alejo: «Los altares de la Caridad», *Islas,* vol. X, núm. 1 (enero-marzo 1968).

Desmoes, Edmundo: «El siglo de las luces», *Homenaje a Alejo Carpentier.* Editado por Helmy F. Giacoman. Las Americas Publishing, Co. Nueva York, 1970.

Donahue, Francis: «Alejo Carpentier: la preocupación del tiempo», *Cuadernos Hispano-Americanos,* vol. LXVIII (1966).

Dumas, Claude: «*El siglo de las luces,* de Alejo Carpentier, novela filosófica», *Homenaje a Alejo Carpentier.* Editado por Helmy F. Giacoman. Las Americas Publishing, Co. Nueva York, 1970.

Fell, Claude: «Rencontre avec Alejo Carpentier», *Languages Modernes,* número 3 (mayo-junio 1965).

Fischer, Sofía: «Notas sobre el tiempo en Alejo Carpentier», *Homenaje a Alejo Carpentier.* Editado por Helmy F. Giacoman. Las Americas Publishing, Co. Nueva York, 1970.

Foster, David William: «The Everyman's Theme in Carpentier's *El camino de Santiago*», *Symposium,* vol. XVIII, núm. 3 (1964).

Giacoman, Helmy F., ed.: *Homenaje a Alejo Carpentier: variaciones interpretativas en torno a su obra.* Las Americas Publishing, Co. Nueva York, 1970.

— «La relación músico-literaria entre la tercera sinfonía *Heroica,* de Beethoven, y *El acoso,* de Alejo Carpentier», *Homenaje a Alejo Carpentier.* Editado por Helmy F. Giacoman. Las Americas Publishing, Co. Nueva York, 1970.

Giordano, Jaime: «Unidad estructural en Alejo Carpentier», *Revista Iberoamericana,* núm. 75 (abril-junio 1971).

González Echevarría, Roberto: «Isla a su Vuelo Fugitiva: Carpentier y el realismo mágico», *Revista Iberoamericana,* núm. 86 (enero-marzo de 1974).

González, Eduardo G.: «*El acoso:* Lectura, escritura e historia», *El cuento hispanoamericano ante la crítica.* Editorial Castalia. Madrid, 1973.

González, Eduardo: «*Los pasos perdidos,* el azar y la aventura», *Revista Iberoamericana,* núm. 81 (octubre-diciembre 1972).

González Echevarría, Roberto: «Ironía narrativa y estilo en *Los pasos perdidos,* de Alejo Carpentier», *Nueva Narrativa Hispanoamericana,* volumen I, núm. 1 (enero 1971).

Lastra, Pedro: «Notas sobre la narrativa de Alejo Carpentier», *Anales de la Universidad de Chile,* año CXX, núm. 125 (1962).

Leante, César: «Confesiones sencillas de un escritor barroco», *Homenaje a Alejo Carpentier.* Editado por Helmy F. Giacoman. Las Americas Publishing, Co. Nueva York, 1970.

Loveluck, Juan: «*Los pasos perdidos,* Jasón y el nuevo vellocino», *Atenea* (Revista de la Universidad de Concepción, Chile), volumen CXLIX (enero-marzo 1963).

Magnarelli, Sharon: «*El camino de Santiago* de Alejo Carpentier y la picaresca», *Revista Iberoamericana,* núm. 86 (enero-marzo de 1974).

Marinello, Juan: «Un homenaje excepcional», *Bohemia,* año LVI (agosto 1964).

Márquez Rodríguez, Alexis: *La obra narrativa de Alejo Carpentier.* Ediciones de la Universidad Central de Venezuela. Caracas, 1970.

Mocega-González, Esther P.: «La simbología religiosa en *El acoso* de Alejo Carpentier», *Anales de Literatura Hispanoamericana.* Vol. II, núms. 2-3 (1973-74). Universidad Complutense. Madrid.

— «La circularidad temporal en *Viaje a la semilla*». *Chasqui: Revista de Literatura Hispanoamericana,* vol. III, núm. 2. Universidad de Wisconsin. Madison (febrero de 1974).

Müller-Bergh, Klaus: *Alejo Carpentier, estudio biográfico crítico.* Las Americas Publishing, Co., Inc. Long Island City, 1972.

— «*Oficio de Tinieblas,* de Alejo Carpentier», *Memoria del XIV Congreso Internacional del Instituto de Literatura Iberoamericana.* Universidad de Toronto. Toronto, 1970.

— «En torno al estilo de Alejo Carpentier en *Los pasos perdidos*», *Homenaje a Alejo Carpentier.* Editado por Helmy F. Giacoman. Las Americas Publishing, Co. Nueva York, 1970.

— «Reflexiones sobre los mitos en Alejo Carpentier», *Homenaje a Alejo Carpentier.* Editado por Helmy F. Giacoman. Las Americas Publishing, Co. Nueva York, 1970.

— «Entrevista con Alejo Carpentier», *Cuadernos Americanos,* año XXVIII (julio-agosto 1969).

— «Alejo Carpentier: autor y obra en su época», *Revista Iberoamericana,* núm. 63 (enero-junio 1967).

— «Notas sobre Alejo Carpentier», *Revista de Occidente,* año V, número 48 (1967).

Müller-Bergh, Klaus, *et al.*: *Asedios a Carpentier.* Editorial Universitaria. Santiago de Chile, 1972.

Pérez Minik, Domingo: «La guillotina de Alejo Carpentier (En torno a *El siglo de las luces*)», *Homenaje a Alejo Carpentier.* Editado por Helmy F. Giacoman. Las Americas Publishing, Co. Nueva York, 1970.

Pineda, Rafael: «Despedida a Carpentier», *Revista de la Universidad Central de Las Villas,* vol. II, núms. 2-3 (enero-agosto 1960).

Pogolotti, Graciella: *Alejo Carpentier, 45 años de trabajo intelectual.* Biblioteca Nacional José Martí. La Habana, 1966.

Pogolotti, Marcelo: *La República de Cuba a través de sus escritores: El acoso.* Editorial Lex. La Habana, 1958.

Quesada, Luis: «Desarrollo evolutivo del elemento negro en tres de las primeras narraciones de Alejo Carpentier», *Literatura de emancipación y otros ensayos. Memoria del XV Congreso del Instituto de Literatura Iberoamericana.* Universidad Nacional Mayor de San Marcos. Dirección Universitaria de Bibliotecas y Publicaciones. Lima, 1972.

Quesada, Manuel: «*Semejante a la noche:* análisis evaluativo», *Homenaje a Alejo Carpentier.* Editado por Helmy F. Giacoman. Las Americas Publishing, Co. Nueva York, 1970.

Rama, Angel: «*El siglo de las luces,* coronación de Alejo Carpentier», *Marcha* (Montevideo), año XXV, núm. 1.206 (22 mayo 1964).

Roa, Miguel F.: «Alejo Carpentier: el recurso a Descartes», entrevista en *Granma* (sábado 18 de mayo de 1974). La Habana.

Rodríguez-Alcalá, Hugo: «Sobre *El camino de Santiago,* de Alejo Carpentier», *Homenaje a Alejo Carpentier.* Editado por Helmy F. Giacoman. Las Americas Publishing, Co. Nueva York, 1970.

Rodríguez Monegal, Emir: «Alejo Carpentier: lo real y lo maravilloso en *El reino de este mundo*», *Revista Iberoamericana,* núms. 76-77 (julio-diciembre 1971).

Sánchez-Boudy, José: *La temática novelística de Alejo Carpentier.* Ediciones Universal. Miami, 1969.

Santana, Joaquín G.: «Muertes, resurrecciones, triunfos, agonías», *Bohemia,* año 63, núm. 13 (26 de marzo de 1971).

Santander, T., Carlos: «Lo maravilloso en la obra de Alejo Carpentier», *Homenaje a Alejo Carpentier.* Editado por Helmy F. Giacoman. Las Americas Publishing, Co. Nueva York, 1970.

Silva Cáceres, Raúl: «Mito y temporalidad en *Los pasos perdidos,* de Alejo Carpentier», *La novela hispanoamericana actual: compilación de ensayos críticos.* Editado por Angel Flores y Raúl Silva Cáceres. Las Americas Publishing Co. Long Island City, 1971.

— «Una novela de Alejo Carpentier», *Revista Mundo Nuevo,* núm. 17 (noviembre 1967).

Sorel, Andrés: «El mundo novelístico de Alejo Carpentier», *Homenaje a Alejo Carpentier.* Editado por Helmy F. Giacoman. Las Americas Publishing, Co. Nueva York, 1970.

Verzasconi, Ray: «Juan and Sisyphus in Carpentier's *El camino de Santiago*», *Hispania,* vol. XLVIII, núm. 1 (marzo 1965).

Vidal, Hernán: «Arquetipificación e historicidad en *Guerra del tiempo*», *Nueva Narrativa Hispanoamericana,* vol. III, núm.. 2 (septiembre de 1973).

Volek, Emil: «Realismo mágico. Notas sobre su génesis y naturaleza en Alejo Carpentier», *Nueva Narrativa Hispanoamericana,* vol. III, número 2 (septiembre de 1973).

Volek, Emil: «Dos cuentos de Carpentier: dos caras del mismo método artístico», *Nueva Narrativa Hispanoamericana,* vol. I, núm. 2 (septiembre 1971).

— «Análisis del sistema de estructuras e interpretación de *El acoso,* de Alejo Carpentier», *Homenaje a Alejo Carpentier.* Editado por Helmy F. Giacoman. Las Americas Publishing, Co. Nueva York, 1970.

— «Análisis evaluativo e interpretación de *El reino de este mundo*», *Homenaje a Alejo Carpentier.* Editado por Helmy F. Giacoman. Las Americas Publishing, Co. Nueva York, 1970.

Weber, Frances Wyer: «*El acoso:* Alejo Carpentier's war on time», *PMLA,* vol. LXXXIII (noviembre 1963).

INDICE